MACRON & CIE

MATHIEU MAGNAUDEIX

AVEC LA RÉDACTION DE MEDIAPART

MACRON & CIE

ENQUÊTE SUR LE NOUVEAU PRÉSIDENT DE LA RÉPUBLIQUE

Préface d'Edwy Plenel

Don Quichotte éditions

Ont collaboré à cet ouvrage,
au sein de la rédaction de Mediapart :

François Bonnet
Lénaïg Bredoux
Joseph Confavreux
Michel Deléan
Romaric Godin
Louise Fessard
Carine Fouteau
Michaël Hajdenberg
Jerôme Hourdeaux
Donatien Huet
Hubert Huertas
Dan Israel
Manuel Jardinaud
Ludovic Lamant
Karl Laske
Jade Lindgaard
Mathilde Mathieu
Laurent Mauduit
Martine Orange
Edwy Plenel
Ellen Salvi
Antoine Perraud
Antton Rouget
Faïza Zerouala

www.donquichotte-editions.com

ISBN : 978-2-35949-663-5

Préface

Tout journaliste devrait être spinoziste. On connaît la formule prêtée à Baruch Spinoza, ce Prince des philosophes selon Gilles Deleuze : « Ni rire, ni pleurer, mais comprendre. » Telle qu'elle, on ne la trouve pourtant pas dans l'œuvre de ce réfractaire aux disciplines grégaires, jaloux de sa liberté de pensée, que sa profession de tailleur de lentilles optiques prédestinait sans doute à percer à jour ses contemporains. Mais, sur le fond, Spinoza y revient par deux fois, dans son *Traité politique*, puis dans l'*Éthique*. « M'appliquant à la Politique, écrit-il dans le premier, je me suis soigneusement abstenu de tourner en dérision les actions humaines, de les prendre en pitié ou en haine ; je n'ai voulu que les comprendre[1]. » Et, dans le second, il prend soin de se démarquer de « ceux qui aiment mieux prendre en haine ou en dérision les affects et les actions des hommes que de les comprendre[2] ».

1. Spinoza, *Traité politique*, Introduction, § 4, in *Œuvres*, trad. Émile Saisset, Paris, Charpentier, 1861, t. II, p. 351.

2. Spinoza, *Éthique*, partie III, « De l'origine et de la nature des passions », in *Œuvres*, trad. Émile Saisset, Paris, Charpentier, 1861, t. II, p. 108.

Comprendre, tel est le but de ce livre de Mathieu Magnaudeix, enquête la plus riche et la plus complète à ce jour sur l'objet politique non identifié qui siège au palais de l'Élysée depuis le 14 mai 2017. Tandis que cet OPNI voudrait se résumer à un EM – initiales d'Emmanuel Macron qui furent aussi celles du mouvement, En Marche, créé pour accompagner sa marche consulaire vers le pouvoir suprême –, ce livre va au-delà des apparences, discours d'opportunité et postures de communication, pour cerner au plus près la réalité et, donc, la vérité du macronisme. Qu'il apprécie ou critique ce quinquennat commencé au pas de charge, tout lecteur, toute lectrice y trouvera de quoi compléter ou conforter, approfondir, nuancer ou contredire son opinion, ses convictions ou ses certitudes : des informations, des faits, mis en perspective, vérifiés, documentés, sourcés, recoupés.

Participant à l'aventure de Mediapart depuis sa création en 2008, Mathieu Magnaudeix y a d'abord couvert les questions sociales, sous la présidence de Nicolas Sarkozy, avant de suivre le Parlement, sous celle de François Hollande. Ainsi placé aux premières loges pour suivre la crise dévastatrice de la gauche socialiste provoquée par l'action de l'ancien premier secrétaire du Parti socialiste et de son second Premier ministre, Manuel Valls, il s'est d'emblée intéressé, avec curiosité et sans préjugé, à cette surprise improbable qui allait en résulter : l'échappée solitaire d'Emmanuel Macron, parti à la conquête de la présidence de la République comme l'on ferait un raid boursier. De cette connaissance concrète, nourrie de reportages et d'investigations, enrichie par les apports du travail collectif de ses collègues de Mediapart, il a tiré ce précis rigoureux du macronisme qui en dévoile la mécanique cachée et les ressorts méconnus.

Au travail d'enquête, marque de fabrique mediapartienne qui, ici, nous fait découvrir de l'intérieur une machinerie politique entrepreneuriale raflant méthodiquement des parts de marché électoral, ce livre a le grand mérite d'ajouter deux disciplines qui permettent de prendre du recul, en échappant à l'immédiateté oublieuse de l'actualité superficielle : la sociologie et l'histoire. Inventoriant les entourages, conseillers et réseaux du futur président, recensant les donateurs, amis et relations actifs dans sa campagne, analysant de façon systématique les milieux, métiers et professions d'où sont issus les candidats marcheurs des législatives qui ont suivi son élection, Mathieu Magnaudeix met à nu l'assise sociale du macronisme, fort éloignée d'un ancrage populaire. C'est l'alliance sans fard de la noblesse d'État et du monde économique, au nom d'un « modernisme » autoproclamé renvoyant à un archaïsme supposé de l'État social et, selon le néologisme forgé par notre confrère, d'un « capitalicisme » décomplexé, conquérant et dynamique. Elle évoque irrésistiblement, mais sans le souffle de la grande histoire, ces coalitions d'intérêts qu'a toujours su fédérer le bonapartisme français, des deux Napoléon, l'oncle, puis le neveu, à Charles de Gaulle.

À ce journalisme sociologique, *Macron & Cie* ajoute une mise à distance par le recours à l'histoire, plus précisément à l'histoire des idées. Emmanuel Macron se revendiquant un intellectuel, fier de citer ses maîtres, Paul Ricœur notamment, et habile à manier les concepts, avec un éclectisme assumé, Mathieu Magnaudeix s'est attaché à cerner la cohérence de sa pensée. Le résultat, qui recoupe le constat sociologique, met en évidence une philosophie politique plus traditionnelle qu'innovante, sous l'alibi d'un pragmatisme. Prônant et pratiquant un ultralibéralisme de rupture dans les domaines économique et social – c'est-à-dire épousant le credo individualiste de l'effort et de la réussite plutôt que l'impératif collectif de la solidarité et de la protection –, le macronisme s'y révèle conservateur dans sa vision du pouvoir. Enfermant le chef de l'État dans un Olympe divin afin qu'il règne au-dessus du commun des mortels, cette « présidence jupitérienne » explicitement assumée accentue la dérive césariste française vers un État sécuritaire dont la forte incarnation présidentielle entend protéger les intérêts de la classe économiquement dirigeante.

C'est le grand mérite de ce livre que de mettre en lumière le vieux qui gît sous ce neuf proclamé et de dévoiler ainsi l'ancien monde qu'entend sauver cette jeune présidence. Non pas qu'il n'y ait là rien de nouveau sous le soleil politique tant l'élection d'Emmanuel Macron est à la fois le résultat et l'accélérateur d'une décomposition du système politique qui lui préexistait, et qu'il a su pressentir et exploiter, tout comme, à son opposé partisan, Jean-Luc Mélenchon. C'est comme si la politique en ses formes organisées au XXe siècle avait vécu, déboulonnée par ces mouvements inédits, lancés hors et contre les partis, unis dans le culte du chef, boostés par la révolution numérique, revendiquant des frontières idéologiques mouvantes et brouillant les identités sociales dans une société civile indistincte.

Mais à la surprise de sa conquête s'est ajoutée depuis celle de l'exercice du pouvoir, dont rend compte la troisième et dernière partie de ce livre.

Si les contre-réformes sociales étaient annoncées – le code du travail d'abord, puis les retraites et l'assurance chômage –, il n'était pas écrit que la pratique politique du président Macron fût si résolument à rebours des engagements pris par le candidat Macron – cette « révolution démocratique profonde » qu'il promettait en campagne et dont on retrouve l'écho dans son discours d'investiture, prononcé le 14 mai 2017 à l'Élysée : « Je veillerai à ce que notre pays connaisse un regain de vitalité démocratique. Les citoyens auront voix au chapitre. Ils seront écoutés. » Politiquement, les débuts de la présidence Macron contredisent les principes philosophiques dont prétendait s'inspirer le président élu : elle n'est pas libérale, c'est-à-dire qu'elle n'a pas su se revendiquer d'une vitalité démocratique qui va bien au-delà de la seule pratique institutionnelle.

En ce sens, elle est ancrée dans son temps, bien plus qu'elle n'en fonde de nouveaux. Un temps dont ont témoigné les partenaires internationaux rapidement mis en valeur par le nouveau président : le Russe Vladimir Poutine, le Nord-Américain Donald Trump, l'Israélien Benjamin Netanyahou – auquel il faudrait ajouter le Turc Recep Erdogan ou le Chinois Xi Jinping – témoignent de tendances institutionnelles similaires, lourdement à l'œuvre dans des contextes nationaux, historiques et culturels différents. Ayant provisoirement imposé sa loi à un monde globalisé, au profit d'intérêts économiquement dominants mais socialement minoritaires, le libéralisme économique s'accommode souvent d'un illibéralisme politique, valorisant la personnalisation, l'autoritarisme et le verticalisme du pouvoir au détriment d'une authentique culture démocratique qui suppose des contre-pouvoirs forts, écoutés et respectés.

Car la démocratie, ce n'est pas que le droit de vote. C'en est même la plus pauvre expression si toutes les autres conditions ne sont pas remplies, qui vont du droit d'interpellation de la presse au pouvoir de contestation de l'opposition, sans compter les droits fondamentaux qui en garantissent la vitalité – les droits de manifestation, de réunion, de négociation, de grève, de solidarité, de contestation, de révolte, pour n'en citer que les principaux. Or, aux premiers pas de la présidence Macron, les concessions à l'air du temps « dégagiste », avec le choix bienvenu d'introduire une part de proportionnelle aux élections législatives et une loi salutaire destinée à accentuer l'effort de moralisation de la vie politique, furent de peu de poids symbolique face aux annonces parallèles d'une introduction de l'état d'urgence dans le droit commun – un État policier – ou d'un durcissement drastique vis-à-vis des migrants et des réfugiés – un État sans humanité.

L'histoire n'est jamais écrite, et l'aventure personnelle d'Emmanuel Macron en témoigne à l'évidence. Il serait donc non seulement ridicule de vouloir prédire la suite mais, de plus, contraire au journalisme lui-même, lequel doit toujours rester ouvert à l'événement, attentif à l'imprévu, guetteur de l'improbable. En ce sens, le travail de Mathieu Magnaudeix sera désormais indispensable pour comprendre les raisons des réussites ou des échecs d'un quinquennat qui ne fait que s'ouvrir.

Car il nous donne à voir à la fois la cohérence du projet macroniste et les faiblesses qui l'habitent. Née d'une sourde et profonde crise démocratique, dont l'abstention électorale fut le baromètre et le « dégagisme » généralisé le produit – l'effet En Marche affrontant en miroir la dynamique France insoumise –, la présidence Macron entend saisir l'occasion pour accomplir un projet politique mûri de longue date dans les cercles patronaux et les milieux financiers. Mais, ce faisant, elle prend le risque de faire l'impasse sur le mal dont elle a profité, la crise démocratique précisément. Voire d'en accentuer les ravages et, partant, de creuser sa propre tombe.

La marche de l'entreprise macroniste est désormais un défi lancé à Emmanuel Macron lui-même. Non pas le bénéficiaire actuel de ce présidentialisme monarchique qu'il sert avec le zèle excessif d'un converti, mais le jeune énarque en quête de reconnaissance intellectuelle qui, en 2011, mettait en garde contre le « spasme présidentiel ». « On ne peut ni ne doit tout attendre d'un homme et 2012 n'apportera pas plus qu'auparavant le démiurge », écrivait-il alors dans la revue *Esprit* avant de se mettre au service du futur vainqueur, François Hollande. Pour ce Macron d'avant Macron, refonder l'action politique, sa légitimité et son efficacité, supposait donc de la penser au-delà du « spasme présidentiel », « loin du pouvoir charismatique et de la crispation césariste de la rencontre entre un homme et son peuple ». Autrement dit d'échapper à ce temps court de l'élection, où « la vie politique s'écrase » sous le poids du « présidentialisme », pour mieux retrouver le temps long de la « délibération permanente », cette

« double vertu du parlementarisme et de la démocratie sociale que notre République a encore trop souvent tendance à négliger[1] ».

Ce rappel, comme nombre d'informations du livre de Mathieu Magnaudeix, travail d'enquête sans glose inutile ni bavardage superflu, sera sans doute balayé par ceux qui veulent y croire – « Laissez-lui une chance ! » – comme par ceux qui n'y ont jamais cru – « On vous avait prévenus ! ». Mais c'est la fonction du journalisme d'être, par essence, un dérangement, à contretemps et à contre-courant. De ne laisser tranquilles ni les gouvernants, rassurés par leurs pouvoirs, ni les gouvernés, confortés par leurs convictions. En ce sens, l'injonction spinoziste de s'efforcer de comprendre n'est en rien un appel à s'accommoder de tout, en renonçant à toute perspective critique. Comprendre non pas pour se résigner ou pour se soumettre, mais pour être libre de penser et d'agir par soi-même.

Macron & Cie, qui fait suite aux précédents livres de la rédaction de Mediapart sur les présidences Sarkozy et Hollande[2], en est une illustration accomplie. Il ne manque pas d'ironie, d'autant que celle-ci s'inscrit dans

1. Toutes les citations de ce paragraphe sont extraites de l'article qu'Emmanuel Macron avait écrit en 2011 pour la revue *Esprit* (Emmanuel Macron, « Les labyrinthes du politique. Que peut-on attendre pour 2012 et après ? », in *Esprit*, mars-avril 2011, p. 106-115).

2. Les éditions Don Quichotte ont publié quatre livres de la rédaction de Mediapart dans la collection « Faits & Gestes », dressant le bilan des deux présidences précédentes (*N'oubliez pas !* et *Finissons-en !* en 2010 et 2012, *Qu'ont-ils fait de nos espoirs ?* et *Sonnons l'alarme !* en 2015 et 2017).

la filiation du philosophe dont Emmanuel Macron revendique le parrainage. En 1968, en effet, Paul Ricœur avait accepté de préfacer un livre paru alors même que le pays, lors du mouvement de Mai-Juin, se soulevait contre un pouvoir personnel lointain et inatteignable. Intitulé *La Presse, le Pouvoir et l'Argent*, ce livre avait pour auteur un journaliste du *Monde*, ardent défenseur de l'indépendance des rédactions, Jean Schwœbel. Quant au nécessaire rôle de « service d'intérêt public » d'une presse digne de ce nom, le philosophe en soulignait l'enjeu démocratique face au risque que « la direction des affaires soit accaparée par des oligarchies de compétents », lesquels seraient notamment « associés aux puissances d'argent ».

« Partout, insistait-il, c'est la même confiscation. Et tout nous y incline : la complexité croissante des problèmes dans les sociétés industrielles avancées, la paresse des citoyens, leur appétit de bien-être sans trouble de pensée, la commodité des compétents eux-mêmes, l'intérêt des féodalités. La dépolitisation, dans son fond, n'est pas autre chose que cette démission de la plupart, réciproque de la confiscation de la décision par quelques-uns. C'est ici que l'information est condition de démocratisation : car qu'est-ce que la démocratie, sinon le régime qui assure au plus grand nombre – à la limite à tous –, à tous les degrés, la participation à la décision[1] ? »

En 2018, ces lignes auront cinquante ans. Elles semblent pourtant écrites aujourd'hui, comme un cri

1. Paul Ricœur, préface à Jean Schwœbel, *La Presse, le Pouvoir et l'Argent*, Paris, Le Seuil, 1968.

d'alarme face aux coalitions du pouvoir et de l'avoir, de la possession et de la domination, dont l'inconscience satisfaite d'elle-même, propre aux vainqueurs éphémères, prend le risque de ruiner l'idéal démocratique.

Edwy Plenel

« Les durs avec un visage d'ange ont un immense atout. »

Alain Minc

« S'il n'y a plus d'écart entre le discours politique et le discours issu du monde de l'entreprise, il va devenir encore plus difficile de questionner l'un et l'autre. »

Agnès Vandevelde-Rougale

« Braquer la banque »

La *Neuvième Symphonie* de Beethoven retentit dans la nuit de Paris. C'est l'« Ode à la joie », l'hymne officiel de l'Europe. Il est 22 h 27. Emmanuel Macron apparaît, immobile, sous une voûte de la cour du Louvre. Vêtu d'un manteau sombre, visage fermé, il s'avance en une déambulation solitaire cernée de caméras. Quatre minutes solennelles, avant de monter sur la scène installée devant la célèbre pyramide de verre commandée par François Mitterrand à l'architecte Ieoh Ming Pei. Dans le public, il y a les militants enamourés, des curieux aussi qui pouffent devant une telle pompe : « Il voulait être Jupiter, non ? Le voilà ! » Depuis deux heures et demie, ce 7 mai 2017, Emmanuel Macron est président de la République. Il lance : « Ce que nous avons fait depuis tant et tant de mois n'a ni précédent ni équivalent. Tout le monde nous disait que c'était impossible, mais ils ne connaissaient pas la France ! » La foule est tenue à bonne distance, comme les journalistes. Le plus jeune président de la Ve République endosse avec gourmandise l'habit du monarque républicain. La première scène du quinquennat dit toute l'ambivalence de ce nouveau président, si jeune et déjà vieux.

Caravansérail mémoriel, attrape-tout symbolique, le Louvre lui ressemble bien. C'est à la fois le palais royal des Valois où les catholiques massacrèrent les protestants, le jardin des Tuileries où s'éleva le château des Napoléon brûlé par les communards, le musée le plus visité au monde et un vaste centre commercial. « Ce lieu est parcouru par notre histoire, de l'Ancien Régime à la Libération de Paris, de la Révolution française à l'audace de cette pyramide. C'est le lieu de tous les Français, de toutes les Françaises, de toutes les France, le lieu de la France que le monde regarde. » Élu avec 24 % des voix au premier tour et une abstention record au second, Emmanuel Macron promet : « Je vous servirai avec amour. »

La gauche aime fêter ses victoires place de la Bastille, symbole révolutionnaire. La droite préfère la Concorde, esplanade du pouvoir où le président assiste en majesté au défilé militaire du 14-Juillet. Le Carrousel du Louvre, c'est un entre-deux, l'endroit adéquat pour Emmanuel Macron, entrepreneur politique « et de droite et de gauche », qui vient de dynamiter le paysage politique pour le « recomposer ». À vol d'oiseau, le Louvre est même plus près de Concorde que de Bastille : la bonne place pour un homme venu de la gauche qui a mené campagne au centre droit et s'apprête à nommer plusieurs ministres de droite, à commencer par son chef de gouvernement, le juppéiste Édouard Philippe.

Il y a trois ans, Emmanuel Macron était inconnu des Français. À trente-neuf ans, neuf de moins que Valéry Giscard d'Estaing en 1974, le jeune ambitieux devient le plus jeune locataire de l'Élysée sous la Ve République.

Au contraire de ses prédécesseurs François Mitterrand, Jacques Chirac ou Nicolas Sarkozy, il n'a pas fait ses classes dans un conseil municipal ou sur les bancs d'une assemblée départementale et n'a été ministre que deux ans. Il n'a subi aucune défaite électorale puisqu'il n'a jamais été candidat. À l'issue d'une course pénible et chaotique, marquée par les affaires et les intox, Emmanuel Macron remporte tout. Parti en outsider absolu, il a parié comme un joueur sur l'élection présidentielle, persuadé que celle-ci ne serait pas semblable aux autres. Il a eu l'audace d'y croire, mû par l'*ego trip* narcissique de celui qui n'a jamais rien raté, encouragé et soutenu par celles et ceux qu'il a croisés et charmés dans les salons du pouvoir pendant toutes ces années. En un peu plus d'un an, il a gagné la présidence, les législatives et une majorité absolue ; son parti pourtant tout jeune est déjà richissime, abondé par de fortunés donateurs et, demain, par une manne d'argent public : au moins 20 millions d'euros par an.

En un an, nombre de statues ont été déboulonnées ! Deux présidents de la République, François Hollande et Nicolas Sarkozy, l'un auto-débranché, l'autre battu à la primaire de droite. Trois Premiers ministres, Alain Juppé, Manuel Valls et François Fillon, le premier défait lui aussi à la primaire de Les Républicains, le deuxième battu à la primaire du Parti socialiste, le troisième plombé par les affaires et qui n'a pas passé le premier tour de la présidentielle. Le « dégagisme » prôné par Jean-Luc Mélenchon a joué à plein. Emmanuel Macron, l'ancien banquier d'affaires, l'énarque, l'ancien ministre, le « techno » par excellence, y a échappé, et l'a même encouragé en fustigeant, pas gêné, les élites dont il est l'incarnation. Il était persuadé que les Français voulaient sanctionner ceux qui les gouvernent, mais qu'ils n'étaient pas prêts à voter, comme il dit, « pour les extrêmes ». Sur fond de décomposition générale avancée, celui qu'on décrivait comme une « bulle » s'est fiché au milieu du décor, et il y est resté. Parlant peu de politique, il a promis de « libérer les énergies », de « changer le logiciel de la France », de balayer les vieilles idoles. Entre les deux tours, Marine Le Pen s'est désintégrée au cours d'un débat où elle est apparue impréparée, brutale, inquiétante. Emmanuel Macron, c'était son calcul, est alors devenu une sorte de rempart improbable, finalement élu avec 66 % des suffrages exprimés.

Ni les circonstances, ni le hasard, pas plus que la seule attraction des médias n'auraient suffi à le faire élire. Cette victoire, c'est avant tout le fruit d'une stratégie méthodique de conquête du pouvoir. L'OPA dans un marché politique déprimé d'un « raider » ambitieux, mais aussi de toute une galaxie, coalition de pouvoirs qui se sont organisés pour le faire gagner. Nouvelle « entrante » du marché politique, la « Macron & Cie » a réalisé le casse du siècle. Un hold-up démocratique mené « sourire Colgate » aux lèvres. Le matin du lundi 24 avril, au lendemain d'un premier tour fêté avec maladresse dans une brasserie parisienne, la sénatrice de Paris Bariza Khiari, socialiste devenue macroniste, s'est réveillée avec une drôle de sensation : « Je me suis sentie comme si je venais de braquer une banque. » Même eux le disent.

I.

LE BUSINESS PLAN

1.

Les vies antérieures d'Emmanuel Macron

Lorsque Emmanuel Jean-Michel Frédéric Macron voit le jour, le 21 décembre 1977, à Amiens, dans la Somme, dans une famille de médecins, Valéry Giscard d'Estaing dirige la France depuis plus de trois ans. Jacques Chirac a déjà été Premier ministre. François Mitterrand a soixante et un ans. Les Trente Glorieuses sont terminées, mais la France feint de l'ignorer. Pour le journaliste Jean-Marie Durand, l'année 1977, c'est « le début de la chute », l'« année zéro », la « scène primitive de notre époque actuelle, la bifurcation vers un monde brutal[1] ». Les illusions déjà perdues, l'hypermodernité qui s'annonce : le punk et Apple, la bande à Baader et les « nouveaux philosophes » et, déjà, le néolibéralisme qui vient.

Emmanuel Macron est l'enfant de cette contradiction. Il est très classique : élève des jésuites à La Providence, à Amiens, adolescent amoureux de littérature, khâgneux idéaliste qui affecte d'utiliser des mots compliqués comme si c'était naturel. Mais

1. Jean-Marie Durand, *1977, année électrique*, Paris, Robert Laffont, 2017.

l'intellectuel est aussi un ambitieux bien de son temps, fasciné par le pouvoir. Assistant éditorial du philosophe Paul Ricœur pour le livre *La Mémoire, l'Histoire, l'Oubli*[1], titulaire d'un DEA à l'université Paris X, il commence une thèse avant de s'apercevoir que tout cela n'est pas pour lui. « Paul Ricœur a fait ses grands livres après soixante ans. Je n'avais pas cette patience. C'était trop lent pour moi[2]. » Alors il entame sa deuxième vie et bifurque vers des études plus conformes à l'air du temps : quand Sciences-Po l'ennuie par son conformisme, l'Ena le passionne. Dans la promotion Sédar-Senghor, sortie en 2004, il croise de futurs alliés – Gaspard Gantzer, le conseiller en communication de François Hollande, ou le diplomate Aurélien Lechevallier, l'un des experts de sa campagne, devenu depuis conseiller « Afrique » à l'Élysée. Il découvre la vie de l'État, l'administration, le pouvoir et la politique. Il termine comme il se devait, « dans la botte », c'est-à-dire parmi les tout premiers. Direction l'Inspection générale des finances (IGF), le puissant corps des aristocrates de la République.

« Sarkozy m'a beaucoup aidé et les socialistes du Pas-de-Calais aussi », dit-il pour résumer la suite : la philosophie lui a au moins appris à relativiser les situations. Car, à peine ses études achevées, il est tenté par une troisième vie : la politique. Il s'embarque pour faire de la politique locale dans le Pas-de-Calais. Mais entre le

1. Paul Ricœur, *La Mémoire, l'Histoire, l'Oubli*, Paris, Le Seuil, 2000.

2. Martine Orange, *Rothschild, une banque au pouvoir*, Paris, Albin Michel, 2012.

jeune inspecteur des finances et les caciques de Liévin, le courant ne passe pas. Les locaux ne voient en lui qu'un jeune ambitieux venu bousculer les jeux locaux. « J'étais le jeune mâle blanc, ce qui ne pouvait constituer qu'un handicap. Ils n'ont jamais considéré que je pouvais leur apporter quelque chose », raconte-t-il, amer. Voilà encore qu'au Touquet, la ville où son épouse possède une élégante maison, des notables veulent le lancer à la conquête de la mairie. Dans cette ville de droite, il faut prendre sa carte à l'UMP pour espérer l'emporter : il refuse.

Retour donc à l'Inspection des finances à temps plein. En 2007, lorsque Nicolas Sarkozy est élu, tous les jeunes de l'IGF se sont précipités pour entrer en cabinet ministériel : la voie royale pour la suite. « Toute ma promo est partie », dit-il. Emmanuel Macron n'y va pas, en dépit des multiples sollicitations notamment pour rejoindre le cabinet d'Éric Woerth au Budget. Question de convictions : lui est à gauche, de gauche libérale certes, mais de gauche. Le voilà donc en quarantaine : chargé de mission au Quai d'Orsay. C'est là que Jacques Attali, chargé par Nicolas Sarkozy d'animer une commission « pour la libération de la croissance française », vient le chercher. Dans la quarantaine d'experts, économistes, conseillers en tout genre qui participent aux travaux, il n'y en a pas tellement qui ont les idées, la plume et le temps pour organiser les réunions et en rédiger les comptes rendus. Emmanuel Macron est nommé rapporteur général adjoint de la commission. Présentés en grande pompe en janvier 2008, les beaux projets de la commission connaîtront le sort de tant d'autres : à la première menace de grève des taxis, furieux de voir remettre en cause le numerus clausus, le tout est promptement remisé dans un tiroir.

L'interlude a toutefois permis à Emmanuel Macron d'élargir son cercle de connaissances et de réfléchir. Cette commission, c'est un *Who's Who* vivant. Il s'y lie avec le banquier Stéphane Boujnah, ancien du cabinet de Dominique Strauss-Kahn à Bercy (c'est aussi l'un des fondateurs de SOS Racisme, avec Harlem Désir et Julien Dray), se fait remarquer par le célèbre avocat d'affaires Jean-Michel Darrois. Il y retrouve l'académicien Érik Orsenna, ancienne plume de François Mitterrand, lié par son frère au richissime homme d'affaires Henry Hermand. Le vieux financier de la « deuxième gauche » vient, à quatre-vingt-trois ans, d'être le témoin de mariage d'Emmanuel Macron avec son ancienne professeure de français Brigitte Trogneux[1]. Emmanuel Macron y fait aussi la connaissance de syndicalistes (les anciens dirigeants de la CFDT Nicole Notat et Jean Kaspar) et surtout de patrons (Claude Bébéar, d'Axa, Anne Lauvergeon, d'Areva, Peter Brabeck, de Nestlé, Xavier Fontanet, d'Essilor, l'ex-patron de Sanofi Serge Weinberg). De gauche ou de droite, tous ou presque baignent dans le même bain libéral, voire ultralibéral, parlent « réformes » et « modernisation » avec la certitude d'avoir toujours raison.

Sous l'ère Sarkozy, Emmanuel Macron n'a plus envie de repiquer à l'administration. Il veut un travail plus international, qui lui permette de comprendre le privé, la « grammaire des affaires » comme il dit. « Tu devrais regarder dans la banque d'affaires », lui suggère Serge

1. Leur union a été célébrée au Touquet en octobre 2017.

Weinberg, ami de Jacques Attali, qui le présente à la banque Rothschild. Il rencontre tous les associés et est coopté. En septembre 2008, il entre dans la maison. « J'ai eu de la chance. J'avais un parcours très peu intelligible. Personne ne pouvait le comprendre ailleurs que chez Rothschild », dit-il. La quatrième vie commence : celle du banquier d'affaires. Emmanuel Macron apprend le monde des entreprises, les techniques financières, les opérations internationales, le *big business,* « les grandes rationalités et ses aberrations », comme il le dit lui-même. Il s'y amuse et y réussit : en 2011, il devient le plus jeune associé-gérant de la banque. Il conclut un deal à 9 milliards d'euros entre Nestlé et Pfizer qui lui permet de vivre sur un grand pied.

Pourtant, Emmanuel Macron n'a pas oublié la politique. Il propose gracieusement son aide en 2010 à la Société des rédacteurs du *Monde,* au moment où celle-ci se bat seule une dernière fois pour son indépendance. Son plan est audacieux : oser aller jusqu'au dépôt de bilan pour apurer la situation financière et renégocier avec les créanciers. Mais ni la direction du journal, ni les banquiers, ni le pouvoir élyséen n'ont envie d'une telle solution : *Le Monde* doit se normaliser et devenir un journal comme un autre. Les journalistes du quotidien sont pris au piège, n'ayant d'autre issue que de choisir leurs repreneurs. Ils croient Emmanuel Macron à fond avec eux. Ils découvriront sa duplicité. Le banquier entretient sans le leur dire les meilleures relations avec le consultant des patrons Alain Minc, qui, lui, défend l'offre du groupe de presse espagnol Prisa. « Au final, j'ai l'impression qu'Emmanuel Macron roulait pour lui-même », témoigne, estomaqué, Adrien de Tricornot, ancien président de la Société des rédacteurs du *Monde*[1].

Surtout, Emmanuel Macron a déjà commencé à travailler avec des proches de François Hollande sur un futur programme économique. Il a proposé ses services à l'ex-premier secrétaire du Parti socialiste avant le scandale du Sofitel, qui sera fatal à Dominique Strauss-Kahn. L'action Hollande est alors à 3 % dans les sondages : toujours acheter à la baisse pour mieux rafler la mise. Dès l'élection de François Hollande, le 6 mai 2012, son nom est cité. Après quelques tergiversations, le voilà secrétaire général adjoint du « Château ». Il seconde le secrétaire général Jean-Pierre Jouyet, le vieil ami du président, l'ancien secrétaire d'État des Affaires européennes de Nicolas Sarkozy, un « IGF » comme lui, au sommet de son influence. Emmanuel Macron est attendu certes sur les dossiers économiques, mais aussi pour assurer le relais avec le monde des affaires, que le président connaît peu. La banque Rothschild s'est résignée à voir partir l'un de ses associés-gérants les plus prometteurs. Cela devient une habitude d'aller puiser chez elle des responsables pour la République. Déjà, Georges Pompidou était directeur général de la banque avant d'être nommé Premier ministre du général de Gaulle. En 2007, Nicolas Sarkozy était allé rechercher François Pérol, son ancien directeur de cabinet devenu associé-gérant de la banque, pour le nommer secrétaire général adjoint.

1. Adrien de Tricornot, « Comment Macron m'a séduit puis trahi », publié sur le site en ligne Streetpress, le 10 février 2017.

En deux ans, de mai 2012 à juin 2014, Emmanuel Macron devient l'un des piliers du cabinet de l'Élysée, supervisant tous les grands dossiers économiques et industriels, certaines batailles du CAC 40, les grandes négociations européennes. Par ses fonctions, il est très régulièrement amené à travailler avec Arnaud Montebourg, ministre du Redressement productif puis de l'Économie. Sur les grands équilibres macroéconomiques, les deux hommes incarnent deux sensibilités, l'une plus keynésienne et critique de l'austérité (Arnaud Montebourg), l'autre plus libérale et arc-boutée sur la réduction des déficits (Emmanuel Macron). Aux yeux d'une grande majorité du Parti socialiste, l'ancien banquier d'affaires incarne bien vite la dérive de l'exécutif. La taxe à 75 % pour les plus riches annoncée pendant la campagne présidentielle ? « Cuba sans le soleil », ironise Emmanuel Macron[1]. Elle a été censurée par le Conseil constitutionnel et ne s'est jamais faite. Débordé de toutes parts à Matignon par des ministres pressés de gagner leurs arbitrages directement à l'Élysée, le Premier ministre Jean-Marc Ayrault se heurte plusieurs fois à Emmanuel Macron, par exemple à propos de la réforme fiscale : l'ancien conseiller de François Hollande n'est pas favorable à la fusion entre la CSG et l'impôt sur le revenu. Elle devait pourtant servir de première pierre à une grande remise à plat fiscale permettant de rendre l'impôt sur le revenu plus juste et plus progressif : encore un chantier qui ne sera jamais lancé.

1. Grégoire Biseau, « Avec Macron, l'Élysée décroche le pompon », *Libération*, 17 septembre 2012.

Au cœur du pouvoir, Emmanuel Macron est le véritable théoricien du « socialisme de l'offre », qui fait dévier François Hollande de la ligne de sa campagne, l'éloigne de ce fameux discours du Bourget où il érigea, moins par conviction que par opportunisme électoral, « le monde de la finance » en « ennemi ». Ce « socialisme de l'offre », explique en 2013 Emmanuel Macron à Mediapart, « suppose de revisiter un des réflexes de la gauche, selon lequel l'entreprise est le lieu de la lutte des classes et d'un désalignement profond d'intérêts. Elle l'est pour partie – c'est ce que nous corrigeons avec le droit du travail et le droit social. Mais elle n'est pas que cela : sur le plan économique, elle est un alignement de forces. La bataille n'est pas à mener au sein de l'entreprise, mais pour la conquête de nouveaux marchés et de nouveaux clients. Plus une entreprise française aura la capacité à capter de la valeur ajoutée et de la croissance, plus elle pourra la redistribuer. Si on reste dans un critère classique de lutte de classes, et donc de division de la collectivité humaine dans l'entreprise, alors on continuera à creuser l'impasse dans laquelle on se trouve. » Emmanuel Macron n'est pas du tout marxiste. Les figures imposées des congrès socialistes, la lutte des classes, l'union des gauches, tout cela lui paraît vestiges d'un monde disparu. « La gauche moderne, dit-il, est celle qui donne la possibilité aux individus de faire face, même aux coups durs. Elle ne peut plus raisonner en termes de statut. La société statutaire où tout sera prévu va inexorablement disparaître. Il y aura donc des moments difficiles avec l'histoire de la gauche parce que cela supposera de revenir sur des certitudes passées, qui sont, à mes yeux, des étoiles mortes. »

Le non encore ministre esquisse déjà un sentier vers son émancipation future. En janvier 2014, l'annonce par François Hollande du « pacte de responsabilité », grand programme de baisse du coût du travail et d'exonération de cotisations patronales, résonne comme la victoire par K.-O. de la « ligne Emmanuel Macron ».

En juin 2014, il quitte l'Élysée. « Je pensais qu'une page était tournée, que j'avais fait des choses et pas réussi à faire d'autres choses. Je l'ai quitté pour recréer ma propre activité, aller enseigner et reprendre mes risques[1]. » Il n'aura pas le temps d'entamer une nouvelle vie : à la fin de l'été, face à la brutale dégradation de la conjoncture, François Hollande et Manuel Valls décident de précipiter la rupture avec la gauche. Prenant prétexte d'une plaisanterie d'Arnaud Montebourg (la fameuse « cuvée du redressement » adressée au président de la République), le duo exécutif rompt avec son aile gauche (Arnaud Montebourg, Benoît Hamon et Aurélie Filippetti), qui appelle depuis des mois à rééquilibrer la politique économique de l'exécutif pour moins d'austérité et plus de relance. Un lundi matin de la fin août, Valls annonce la démission surprise de son gouvernement. « Non seulement ces politiques d'austérité ne marchent pas, mais, en plus d'être inefficaces, elles sont injustes », insiste Montebourg à l'heure de faire ses valises. À la surprise générale, Emmanuel Macron est propulsé à Bercy : ministre de l'Économie, de l'Industrie et du Numérique. Cette nomination est

1. De nombreuses citations d'Emmanuel Macron sont issues des deux entretiens en direct qu'il a accordés à Mediapart pendant la campagne présidentielle, le 2 novembre 2016 et le 5 mai 2017.

un symbole. Symbole d'une rupture politique avec la ligne de la campagne et une partie de la majorité. Symbole, aussi, du glissement du pouvoir des dossiers économiques dans les mains de la technostructure, Emmanuel Macron appartient complètement au sérail de la haute administration de Bercy. Inspecteur des finances, il connaît les arcanes du ministère, ses usages et ses modes de pensée, en partage la plupart des analyses. Bercy triomphe. L'un des siens prend officiellement les manettes de l'économie, sans être même passé par la case politique. Manuel Valls lui aussi trouve que la nomination d'Emmanuel Macron est un « beau symbole ». Il ne se doute pas que l'ex-secrétaire général adjoint de l'Élysée, qui défend la même ligne sociale-libérale que lui, deviendra bientôt son principal rival.

2.

« L'ambition dévorante des jeunes loups de Balzac »

À Bercy, Emmanuel Macron s'entoure vite d'une garde rapprochée recrutée parmi les juniors de la strauss-kahnie défunte : ils seront un an et demi plus tard aux prémices de l'aventure d'En Marche. En attendant, à son poste, Emmanuel Macron tente beaucoup mais ne réussit pas toujours. Il doit gérer l'abyssal dossier nucléaire, de la recapitalisation d'Areva, au bord de l'abîme, au sauvetage d'EDF, encalminé et ruiné par la construction de l'EPR de Flamanville. Il négocie dur avec Martin Bouygues lorsque celui-ci veut se marier avec Orange, et tance publiquement le patron de Renault Carlos Ghosn et sa folie des grandeurs. Mais il privatise l'aéroport de Toulouse en le cédant à des investisseurs chinois à la réputation douteuse qui en profitent pour se verser des dividendes exceptionnels de 15 millions d'euros. Il est aussi celui qui permet aux sociétés d'autoroutes de ne pas voir remettre en cause le tas d'or sur lequel elles sont assises par la grâce de l'État. Sous sa direction, Bercy refuse que soit rendu public le protocole censé ouvrir une nouvelle ère des rapports entre l'État et les sociétés d'autoroutes. Et pour cause : il protège les marges des sociétés en question, alors qu'au terme d'une commission d'enquête les députés socialistes sont arrivés à la conclusion qu'il faut remettre à plat les contrats de concessions quitte à « renationaliser » de façon temporaire. Sur le plan de la politique économique, il prône plus que jamais l'orthodoxie et la réduction des déficits budgétaires. « En refusant de remettre en cause l'austérité et de renégocier les traités européens, Emmanuel Macron a été le coresponsable d'un fiasco économique », s'indigne Thomas Porcher, professeur à la Paris School of Business, membre des Économistes atterrés.

Après qu'Emmanuel Macron a démissionné de Bercy, le 30 août 2016, sa gestion de plusieurs dossiers industriels est remise en cause. « Emmanuel Macron nous a laissés crever », proclament en bas de la tour Montparnasse, où sont installés les locaux provisoires d'En Marche, les ex-salariés d'Ecopla, usine d'emballage alimentaire de l'Isère pillée par son actionnaire. Une affaire dont le cabinet du ministre de l'Économie s'est désintéressé.

Bien vite, une autre bombe à retardement explose : Alstom annonce la fermeture de son usine de trains de Belfort. Le berceau du groupe, le poumon de la ville. Ravageur. Un an plus tôt, Emmanuel Macron avait promis aux ouvriers de défendre leur activité, alors jugée « stratégique ». « Il avait levé le pied depuis un an », l'éreinte son successeur Michel Sapin. Arnaud Montebourg sonne la charge. « Je me souviens que, dans le salon vert du palais de l'Élysée, le secrétaire général adjoint du même palais avait déclaré lorsque j'avais demandé 20 % du capital d'Alstom pour l'État :

“Nous ne sommes quand même pas au Venezuela !” » Il accuse Emmanuel Macron de ne pas avoir usé du pouvoir d’influence dont l’État actionnaire disposait et d’avoir « incarné à Bercy [...] l’excès de laisser-faire ». L’intéressé assure au contraire avoir tout fait pour « éviter un plan social et des licenciements », en mettant « la pression sur Alstom » ou en « soutenant les projets à l’exportation ». Une fois nommé à Bercy, il s’est pourtant privé de plusieurs moyens d’influencer les décisions stratégiques du groupe Alstom, notamment lors du rachat par le groupe américain General Electric de ses activités énergie.

Son grand-œuvre, si l’on ose dire, reste la loi Macron, texte à rallonge qui contient des dispositions exigées par Bruxelles depuis de longues années. « Nous avons sorti tout ce qui traînait dans les tiroirs de Bercy depuis des années et le cabinet du ministre a fait le tri », avoue à Mediapart un membre du Trésor à Bercy. Si la loi a d’abord été annoncée par Arnaud Montebourg, le projet de loi remanié à la sauce Macron reprend de nombreuses propositions qui circulent depuis des années entre ministères et clubs de réflexion, particulièrement de droite. Certaines sont même inspirées du rapport... de la commission Attali, où Emmanuel Macron siégeait comme rapporteur général adjoint. D’autres sont issues des recommandations faites par la Commission européenne sur « les nécessaires réformes structurelles » à mener en France. « C’est un fourre-tout », déplore le secrétaire du Parti socialiste, Jean-Christophe Cambadélis, pourtant prompt à défendre le gouvernement. D’autres socialistes dénoncent un texte d’abandon des valeurs de gauche. La loi étend le travail du dimanche, dérégule certaines professions réglementées comme celle d'avocat et de notaire, réforme le permis de conduire, libéralise le transport des particuliers par autocars, jusqu'alors interdit au-delà de cent kilomètres. Deux ans plus tard, le bilan de cette dernière réforme est mitigé. Selon les décomptes de l'Arafer, l'Autorité de régulation des transports, des millions de trajets en car ont bien été effectués depuis l'ouverture du marché, en août 2015, mais avec des tarifs plancher qui ne permettent à aucune entreprise d'être rentable. Le nombre d'emplois créés reste très limité : 1 350 entre l'automne 2015 et le 30 juin 2016. Loin des 22 000 promis par Emmanuel Macron lorsqu'il était ministre !

Début 2015, la loi Macron est finalement imposée grâce au recours au 49-3 par Manuel Valls, contre l'avis, exprimé mezza voce, d'Emmanuel Macron. À l'Assemblée, l'examen de la loi permet au ministre de l'Économie de se donner, auprès de certains députés socialistes à tout le moins, une image de pacificateur et de négociateur. Une « commission spéciale » est créée, où Emmanuel Macron défend ses arguments et écoute les parlementaires. Ils se sentent si méprisés et maltraités d'habitude par le pouvoir exécutif que cette attention les flatte. C'est à cette occasion qu'Emmanuel Macron rencontre et cajole certains parlementaires socialistes qui, un an plus tard, rompront les rangs pour le rejoindre. Comme par exemple Christophe Castaner, député élu en 2012, un temps proche de Jean-Marc Ayrault. Alors quasi inconnu, il écumera les médias pendant la campagne présidentielle jusqu'à devenir porte-parole du premier gouvernement d'Édouard Philippe et secrétaire d'État aux relations avec le Parlement. Il en va de même avec Stéphane Travert, élu de la Manche. C'est alors un « frondeur » proche de Benoît Hamon. Il a voté « non » au referendum de mai 2005 sur le Traité établissant une Constitution pour l'Europe, s'est abstenu sur le Pacte budgétaire européen de 2012 et la réforme des retraites l'année suivante, a voté contre l'accord de sécurisation de l'emploi négocié par certains syndicats et le Medef. À Mediapart, en 2014, il dressait un constat sévère du début de quinquennat de François Hollande : « Je suis d'accord pour être pragmatique, parler aux entreprises. Mais ça n'empêche pas d'avoir des convictions de gauche et de parler à notre électorat, la population ouvrière, les petits retraités. Nous devons désormais reconstituer notre base électorale en poussant le curseur. » Deux ans plus tard, il se mettra « en marche ». Le voilà désormais ministre de l'Agriculture d'Emmanuel Macron.

Dernière curiosité à la mode, prisé par les médias, Emmanuel Macron ne parvient pourtant pas à imposer une nouvelle loi à son nom, plus ambitieuse, qu'il a déjà baptisée « Noé » (pour « Nouvelles opportunités économiques »). Bien qu'« entravé », il sait maîtriser l'art d'occuper le terrain, comme Nicolas Sarkozy en son temps. Professionnel de la communication, il « triangule » en reprenant des idées de droite pour mieux se distinguer du gouvernement. Il distille de petites piques destinées à peaufiner son image de libéral réformateur. Il s'en prend aux trente-cinq heures et propose, déjà, de chambouler le code du travail en autorisant les entreprises et les branches, « dans le cadre d'accords majoritaires, à déroger aux règles de temps de travail et de rémunérations ». Devant le think tank En temps réel, cénacle social-libéral où il compte beaucoup d'amis, Emmanuel Macron-ministre juge en 2015 que le statut des fonctionnaires n'est « plus adapté au monde tel qu'il va » et n'est « surtout plus justifiable ». Il rêve de jeunes qui « veulent devenir milliardaires », dénonce « l'égalitarisme jaloux » des Français, défend le modèle Uber et dit son intention de réduire fortement l'impôt sur la fortune. Quand il parle des salariées « illettrées » de l'abattoir Gad, lorsqu'il lance à un syndicaliste que « la meilleure façon de se payer un costard, c'est de travailler », beaucoup y voient la preuve d'une morgue de classe. Lui dément et invoque le « parler-vrai ». Des bourdes, assurément, mais qui ne déplaisent pas à une partie de l'opinion. Emmanuel Macron teste aussi son discours et son positionnement. Dès l'automne 2015, avec un petit cercle de fidèles, il diagnostique les partis politiques détestés, le rejet chez les Français des « alternances automatiques » et des « postures » et entrevoit la place pour une offre politique « centrale », ultra-pragmatique mais aussi optimiste, qui amènerait à la politique une nouvelle génération.

Emmanuel Macron a toujours eu une haute idée de lui-même. Il possède le grain de folie égotiste commun à ceux qui pensent avoir un destin. « À seize ans, j'ai quitté ma province pour Paris, écrit-il dans *Révolution*[1], son livre-programme paru en novembre 2016, juste avant les fêtes. Cette transhumance, nombre de jeunes Français la font. C'était pour moi la plus belle des aventures. Je venais habiter des lieux qui n'existaient que dans les

1. Emmanuel Macron, *Révolution. C'est notre combat pour la France*, Paris, XO, 2016.

romans, j'empruntais les chemins des personnages de Flaubert, Hugo. J'étais porté par l'ambition dévorante des jeunes loups de Balzac. » « J'avoue un faible pour les héros romantiques que la vie expose à l'inconnu, au danger, aux grands espaces, explique-t-il en janvier 2017[1]. C'est pourquoi j'aime beaucoup Fabrice Del Dongo [le héros de *La Chartreuse de Parme*], qui se jette sur les routes avec une crâne inconscience. » Côtoyer François Hollande l'indécis ou Manuel Valls l'irascible le renforce dans la confiance en ses talents. Quand il se compare, il se trouve meilleur. « Dans le bazar de l'Élysée, il a fait l'expérience de la médiocrité », explique un soutien socialiste de la première heure. En pleine campagne, dans l'un de ces portraits exaltés dont *Le Journal du dimanche* a le secret, Emmanuel Macron parle comme en étant à confesse de la « dimension christique » de son engagement. On croit entendre le dernier François Mitterrand invoquant les « forces de l'esprit ».

C'est finalement le 6 avril 2016, à Amiens, sa ville de naissance, qu'Emmanuel Macron lance son « mouvement ». Il s'appelle « En Marche » : « EM », ses propres initiales. « Ce mouvement politique, c'est une dynamique face au blocage de la société, c'est essayer d'avancer », lance le ministre à quelques centaines de fans. Il jure : « Ce ne sera pas un mouvement pour avoir un énième candidat à la présidentielle, ce n'est pas ma priorité aujourd'hui. » Mais il avance déjà quelques pions : du neuf, de quoi « bouger les lignes », la « volonté de faire ».

1. « Je n'envisage pas ma vie sans les livres », entretien avec Éric Fottorino, in *Macron par Macron*, Paris, *Le 1*/L'Aube, 2017.

En coulisses, ses soutiens théorisent bientôt, avec le langage des publicitaires, la « disruption » politique dont ils veulent qu'Emmanuel Macron soit le nom : « renouvellement de la classe politique », « réforme des institutions ». Bousculer le « système politique » et les vieux partis, mais avec une ligne économique orthodoxe. De plus en plus à l'étroit au gouvernement, Emmanuel Macron multiplie les messages subliminaux. Un mois plus tard, à Orléans, il lance une ode fiévreuse à la « Pucelle », et célèbre « la puissance d'un destin ». « Elle sait qu'elle n'est pas née pour vivre mais pour tenter l'impossible. Comme une flèche, sa trajectoire fut nette. Jeanne fend le système [...]. Elle était un rêve fou, elle s'impose comme une évidence. » Jeanne est « celle qui a su rassembler la France pour la défendre ». Un transparent plaidoyer pour lui-même ! Ce jour-là, Emmanuel Macron matérialise ses ambitions avec de gros sabots.

Mais voilà : il lui faut tout commencer à zéro. L'entourage d'Emmanuel Macron ne sait même pas vraiment comment constituer un parti politique. Dès la fin de l'année 2015, des conseillers ont été discrètement contactés pour apporter leurs lumières. Au printemps, des groupes d'experts se mettent en place. Un an avant la présidentielle, Emmanuel Macron mobilise ses réseaux et commence à démarcher d'éventuels donateurs. Épaulé par Ismaël Emelien, son conseiller spécial à Bercy venu de l'agence Havas, il utilise les ficelles de la communication à l'ancienne pour installer le récit d'une candidature naturelle, presque évidente. Sa bobine est partout, des hebdos à la presse people, dont il use sans modération, persuadé que la mise en scène estivale de son couple avec Brigitte Trogneux, son ancienne professeure d'Amiens de vingt-quatre ans son aînée, est un atout. Son porte-parole Benjamin Griveaux nous le confirme à l'automne 2016. « C'est de la culture populaire, dit-il. Ma coiffeuse, qui vote Front national, adore. Elle dit : “au moins lui, il ne part pas en vacances au cap Nègre comme Nicolas Sarkozy”. »

Trois mois plus tard, alors que François Hollande songe à se représenter, Emmanuel Macron organise le 12 juillet son premier meeting à la Mutualité, haut lieu parisien des rassemblements de la gauche et de l'extrême gauche tout au long des années 1970. « Ce mouvement, rien ne peut plus l'arrêter. Parce que c'est le mouvement de l'espoir, nous le porterons jusqu'en 2017 et jusqu'à la victoire ! » Sera-t-il candidat contre François Hollande, auquel il doit sa carrière ? Motus. Ce soir-là, l'assemblée laisse apparaître la géographie des premiers hussards de la macronie. Beaucoup de petits patrons ou d'artisans, très peu d'hommes politiques connus, hormis le sénateur et maire (PS) de Lyon Gérard Collomb, le député (PS) du Finistère Richard Ferrand, et le sénateur (PS) de la Côte-d'Or François Patriat. Mais aussi l'ex-associé-gérant de la banque Rothschild Lionel Zinsou et quelques personnalités très ancrées à droite, dont Renaud Dutreil, ancien président de l'UMP, qui fut secrétaire d'État puis ministre chargé des PME sous la présidence de Jacques Chirac entre 2002 et 2007. Sur la scène, le romancier Alexandre Jardin fait l'éloge des « faiseux » et exhorte la foule à « renverse[r] la table et » et à « vire[r] les jacobins ». Emmanuel Macron joue des mêmes effets à coups de formules imprécises : « refondation », « choix clairs », « souffle nouveau ». Emmanuel Macron entend « dépasser les clivages », « libérer le pays », garantir « la liberté des entrepreneurs, des créateurs ». La rhétorique Macron, sorte de populisme chic à la sauce CAC 40, est déjà bien en place.

Jean Lecanuet, Jean-Jacques Servan-Schreiber... certains lui suggèrent que ce genre d'aventure politique en France, à part Giscard, ça n'a jamais marché. À ceux-là, il répond qu'ils ont juste refusé l'obstacle. Lui veut prendre le pouvoir, et par le haut. Le 30 août 2016, il démissionne du gouvernement. « Je souhaite aujourd'hui entamer une nouvelle étape de mon combat. » L'ex-ministre dit avoir « touché du doigt les limites de notre système politique, qui pousse à des compromis de dernière minute », faute de « consensus idéologique de fond », et parle d'« impuissance collective ». Sur le plateau de Mediapart, le 2 novembre 2016, il racontera, juste avant de déclarer sa candidature, l'« histoire de désaccords successifs » qui l'ont incité à partir pour « fonder » son « offre politique » : « Un vrai désaccord politique sur la réponse aux attentats [de novembre 2015]. Nous avons une responsabilité qui est d'essayer d'expliquer. Là, nous avons un premier vrai désaccord politique, exprimé par le Premier ministre lui-même. Puis désaccord avec un deuxième choix qui a été d'abandonner la réforme économique et sociale [...] Le troisième, il est sur l'Europe : je dis "on doit assumer une forme de confrontation avec nos partenaires sur la relance budgétaire et économique". Et le quatrième se fait sur la déchéance de nationalité. » Dès qu'Emmanuel Macron quitte le gouvernement, la façon dont il rend hommage à François

Hollande (« les Français lui rendront justice ») a tous les airs d'une oraison funèbre. « Mon rapport avec lui n'est pas celui d'un obligé, nous ne sommes pas dans un système féodal », dit-il aussi. « Il m'a trahi avec méthode », enrage Hollande.

Jusqu'au bout, le président de la République a refusé de croire à l'émancipation du fils prodigue. Le départ de sa créature le blesse. L'épisode lui coupe les jambes et marque la première étape de son renoncement, acté le soir du 1er décembre. Quant à Manuel Valls, avec qui les relations étaient devenues exécrables, il est ringardisé. Emmanuel Macron, qui défend la même ligne sociale-libérale que lui, est à la fois plus doué, plus travailleur et plus jeune. Il épouse une vision plus libérale que républicaine, par exemple sur la laïcité. Le « rond-de-cuir devenu Brutus », ainsi que l'avait décrit Luc Carvounas, sénateur proche du Premier ministre, a donné son coup de poignard.

3.

Les « Macron Boys » à la conquête du pouvoir

À l'Élysée, sa démarche est dépeinte comme une « aventure personnelle ». Mais l'ancien ministre n'est pas du tout seul. Ainsi que le révèlent les journalistes Marion L'Hour et Frédéric Says dans leur livre *Dans l'enfer de Bercy*[1], Emmanuel Macron, ministre de l'Économie, a utilisé 80 % de l'enveloppe annuelle de frais de représentation de son ministère au cours des huit premiers mois de 2016 – soit 120 000 euros dépensés en dîners et déjeuners. Il a aussi, assurent les journalistes, organisé deux réunions au ministère avec ses amis « Facebook », des rencontres aux allures de « pré-meeting électoral ». « Aucun centime du budget du ministère de l'Économie, de l'Industrie et du Numérique n'a jamais été utilisé pour En Marche », assure le mouvement. Ces événements servaient peut-être à son activité de ministre, mais ils lui ont aussi permis de consolider un carnet d'adresses déjà bien épais.

Au ministère, une petite troupe de fidèles est à la manœuvre. Ils sont souvent jeunes, la tête bien

1. Marion L'Hour et Frédéric Says, *Dans l'enfer de Bercy. Enquête sur les secrets du ministère des finances*, Paris, J.-C. Lattès, 2017.

faite, bardés de diplômes, possèdent tous les codes de la bourgeoisie et ne masquent pas leur ambition. Installée à Bercy un étage au-dessus du ministre, qui s'est autoproclamé ministre de la French Tech et piétine allègrement ses plates-bandes, la secrétaire d'État au Numérique Axelle Lemaire ne masque pas son agacement quand elle parle de ces trentenaires ou jeunes quadras, des hommes pour la plupart, qui entourent Emmanuel Macron. Les « Havas Boys », dit-elle avec une pointe de mépris. Havas comme la célèbre agence de communication, l'ex-Euro RSCG dirigée par Stéphane Fouks, celui qui organisa la riposte médiatique de Dominique Strauss-Kahn après le Sofitel puis celle de son ami Jérôme Cahuzac, le ministre du Budget de François Hollande, dont Mediapart a révélé le compte en Suisse. Havas est réputée influente. Ses communicants peuplent les ministères. Mais l'agence, soupçonnée de toutes les duplicités, traîne une réputation sulfureuse. Lorsque Emmanuel Macron quitte Bercy, son conseiller spécial Ismaël Emelien a déserté le cabinet depuis le printemps pour préparer la mise sur orbite d'En Marche. Discret, ultra-méfiant, Ismaël Emelien, vingt-neuf ans, fuit la lumière au point de réclamer aux journalistes de ne jamais être cité. Avec ses grosses lunettes et son air renfrogné, l'œil toujours rivé sur son ordinateur, il est le stratège, le double, un « nerd » de la politique. En 2006, à dix-neuf ans, il a interrompu ses études à Sciences-Po pour participer comme petite main à la campagne (perdue) de DSK à la primaire socialiste. « Il faisait des fiches de lecture », se souvient Benjamin Griveaux, ex-porte-parole de la campagne

En Marche devenu depuis secrétaire d'État, lui aussi ancienne petite main au QG de Dominique Strauss-Kahn, alors installé dans les beaux quartiers, rue de la Planche, à deux pas de Matignon et de Sciences-Po. Ismaël Emelien est biberonné ensuite auprès d'un autre grand ami de l'ancien patron du FMI : Gilles Finchelstein, le patron de la fondation Jean-Jaurès, think tank proche du Parti socialiste, qui l'embauche chez Havas, où il officie comme « directeur des études » auprès du patron Stéphane Fouks. Un tout petit monde.

Chez Havas, propriété du milliardaire Vincent Bolloré, une partie du métier consiste à facturer cher des prestations de communication ou de stratégie politique à des élus français ou des dirigeants étrangers. Voilà comment, en 2013, Ismaël Emelien se retrouve à travailler pour la campagne de Nicolas Maduro, le successeur de Hugo Chavez, qui s'est, depuis, mué en autocrate. « Je suis allé au Venezuela deux fois trois jours. J'ai consacré à cette mission environ une journée par semaine pendant trois mois », confirme Ismaël Emelien. Le contrat de Havas au Venezuela a démarré début 2013. Chavez est mourant. Il faut préparer la succession et lancer sur orbite Nicolas Maduro, le dauphin désigné. Peu de temps auparavant, le banquier d'affaires Matthieu Pigasse, patron de la banque Lazard en France et copropriétaire du *Monde*, a commencé à conseiller le pays sur la politique économique et la négociation de sa dette. Il met en relation les équipes de Nicolas Maduro avec Havas, dont il connaît bien les dirigeants : Matthieu Pigasse a coécrit en 2009 un livre,

Le Monde d'après[1], avec Gilles Finchelstein. « Il s'agissait d'une offre complète avec réalisation de spots publicitaires, un documentaire, l'organisation et la conception des meetings, les réseaux sociaux et le conseil. Nicolas Maduro était alors présenté comme le Lula vénézuélien, un pragmatique, la branche syndicale du chavisme », raconte Gilles Finchelstein. Havas, en liaison avec des « équipes locales », s'est occupée de tout. Le patron de Havas Worldwide Stéphane Fouks se rend « deux fois » à Caracas, Gilles Finchelstein « six ou huit fois ». La prestation n'est pas très concluante : le jour de l'élection, le 14 avril 2013, Nicolas Maduro frôle la défaite, se faisant élire avec 50,6 % des voix. La communication est jugée « trop marketing » par les chavistes. Pendant la campagne, Emmanuel Macron ne s'est pas privé de souligner l'intérêt pour le Venezuela du candidat de la France insoumise, Jean-Luc Mélenchon. Il a sans doute perdu une occasion de se faire discret.

Au fil des semaines, la PME Macron se structure, d'abord avec un petit QG rue des Plantes (XIVe arrondissement), puis avec des bureaux plus grands situés dans la tour Montparnasse. Le noyau dur et les dix premiers salariés d'En Marche sont quasiment tous issus du cabinet du ministre de l'Économie. Ils s'occupent d'animer le mouvement – qui s'appuie en grande partie sur Internet –, d'organiser les meetings, de gérer les réseaux sociaux, de récolter les dons. Prudents, voire paranoïaques, ils communiquent via l'application chiffrée Telegram et préfèrent les bonnes vieilles réunions

1. Mathieu Pigasse et Gilles Finchelstein, *Le Monde d'après. Une crise sans précédent*, Paris, Plon, 2009.

de visu, loin des emails ou du téléphone. Une des chevilles ouvrières s'appelle Alexis Kohler, l'ancien directeur de cabinet d'Emmanuel Macron à Bercy. Cet énarque, issu du Trésor et passé par l'Agence de participation de l'État (APE), a été numéro deux du cabinet de Pierre Moscovici, autre figure de la strauss-kahnie et premier locataire de Bercy du quinquennat Hollande. Parti à l'automne 2016 diriger à Genève les finances du croisiériste MSC, il restera très impliqué tout au long de la campagne. L'ex-dircab adjoint Julien Denormandie est aussi de la partie. Avant la démission d'Emmanuel Macron, il a quitté Bercy pour devenir le secrétaire général adjoint du mouvement encore embryonnaire, mais aussi le président de l'association de financement de la campagne (AFCPEM). Cet ingénieur des eaux et forêts formé à la direction générale du Trésor – il a été en poste dans plusieurs pays étrangers – est passé lui aussi par le cabinet de Pierre Moscovici, puis de la ministre déléguée au Commerce extérieur Nicole Bricq. L'équipe compte aussi le conseiller parlementaire Stéphane Séjourné ou Sibeth Ndiaye, l'attachée de presse de Bercy.

Autre transfuge du ministère de l'Économie, Sophie Ferracci garde chez En Marche la même fonction : le poste discret de cheffe de cabinet, chargée de l'agenda et de l'organisation. C'est une intime d'Emmanuel Macron. Son mari, Marc, professeur d'économie à l'université Panthéon-Assas et spécialiste du marché du travail, a connu Emmanuel Macron pendant ses études à Sciences-Po, au tout début du siècle. Ils ont même préparé l'Ena « en binôme ». « Lui, il l'a loupée une fois. Moi, les deux », raconte-t-il.

Preuve de l'étroitesse du lien qui les unit : Emmanuel Macron a été le témoin de mariage de Marc et Sophie Ferracci en 2005 ; deux ans plus tard, Marc a été celui d'Emmanuel. Au sein des groupes d'experts d'En Marche, Marc Ferracci supervise la réflexion sur le programme social du candidat, à commencer par l'épineuse réforme du droit du travail. Son père, Pierre Ferracci, joue aussi un rôle important. Cet expert-comptable parisien, proche de la CGT, est le PDG du groupe Alpha, qui conseille les comités d'entreprise. Fortuné « patron de gauche », ce fils de résistant communiste est également le président du Paris Football Club. Homme de réseaux, il a joué auprès du pouvoir socialiste un rôle comparable à celui de Raymond Soubie, l'ancien conseiller social de Nicolas Sarkozy à l'Élysée. Pierre Ferracci a par ailleurs fait partie de la fameuse commission Attali. En Corse, les Ferracci ont multiplié les apparitions dans les médias insulaires pour porter la bonne parole d'Emmanuel Macron. Très à l'aise dans son rôle de conseiller aux affaires corses auprès du candidat, qu'il a présenté au maire socialiste de Bonifacio Jean-Charles Orsucci et à Gilles Simeoni, le président autonomiste de la Collectivité territoriale de Corse, Pierre Ferracci l'est beaucoup moins lorsqu'il s'agit d'évoquer les deux villas qu'il a illégalement construites dans la baie de Rondinara, un magnifique espace naturel au sud de l'île où les constructions sont interdites. Le 5 juillet 2017, Ferracci a été condamné en appel à un million d'euros dans cette affaire, la sanction maximale prévue par la loi.

À l'automne 2016, En Marche aménage dans un nouveau QG plus spacieux, situé dans le XVe arrondissement de Paris. Autour de celui qu'ils appellent « le boss » ou « le chef », la petite bande des « Macron Boys » fait plus que jamais corps. « Secte », « fan-club » ; ces mots reviennent souvent dans la bouche des nouveaux venus. Vieux briscard des campagnes de la droite, le directeur de campagne de Bruno Le Maire Jérome Grand d'Esnon, qui rallie Emmanuel Macron début 2017, amuse ses amis quand il décrit ces « mormons » jaloux de leur proximité avec le fondateur d'En Marche. Emmanuel Macron, lui, continue de consulter à tout va parmi les réseaux des start-uppers de la French Tech comme au sein du CAC 40. Le créateur de Meetic, Marc Simoncini, a été son éphémère porte-parole. Emmanuel Macron entretient aussi une relation affective avec Xavier Niel, patron de Free, copropriétaire du *Monde* et gendre de la plus grande fortune de France, le patron de LVMH, Bernard Arnault. Il est proche de l'ancien patron d'Axa Claude Bébéar, souvent surnommé le « parrain du capitalisme français ». Autres soutiens affichés : le créateur de start-up Gaël Duval, l'ancien patron d'Atari et d'Infogrames Bruno Bonnell, tous deux très impliqués dans la recherche de fonds, le patron de Voyageurs du Monde Jean-François Rial. Longtemps proche de François Hollande, le directeur de la communication de Capgemini, Philippe Grangeon, fait partie des très proches. Tout comme le communicant Robert Zarader, visiteur du soir de François Hollande qui lui a conseillé de ne pas se représenter et a soutenu très tôt l'ancien secrétaire général adjoint de l'Élysée.

Emmanuel Macron a aussi des amis difficiles à assumer. Prof à Sciences-Po, présenté par *Challenges* comme « l'homme d'affaires de la nouvelle vague libérale », le consultant et lobbyiste Mathieu Laine, qui se démène pour récolter des fonds (notamment à Londres), est prié de se mettre en retrait après avoir appelé à une alliance entre Emmanuel Macron et François Fillon. Ex-directeur général adjoint du pôle médias de SFR, l'ex-banquier Bernard Mourad se présente dans le Tout-Paris comme le directeur de la campagne. L'entourage du candidat minimise volontiers son rôle, expliquant qu'il se fait mousser. En réalité, il prodigue bien des conseils à Emmanuel Macron, mais l'équipe, qui surveille comme le lait sur le feu tous les risques de « bad buzz », cherche à dissocier à tout prix Emmanuel Macron du milliardaire Patrick Drahi, l'ancien patron de Bernard Mourad, par ailleurs propriétaire de *L'Express*, *Libération* et BFM-TV.

Tandis que les dons de particuliers affluent, l'équipe de Bercy est bien vite rejointe par d'autres conseillers de confiance, eux aussi recrutés dans les cercles strauss-kahniens. Cédric O, ancien collaborateur de Pierre Moscovici, qui dirige alors une usine du groupe Safran, devient trésorier et administrateur d'En Marche. En février 2017, il intègre la commission nationale d'investiture du parti chargée de faire le tri parmi les 19 000 candidatures aux élections législatives. Quant au rôle de porte-parole du mouvement, il revient à Benjamin Griveaux, ex-élu socialiste au conseil général de Saône-et-Loire et ancienne plume de Marisol Touraine au ministère de la Santé. Adepte des allers-retours entre le public et le privé, Benjamin Griveaux est l'ancien délégué national du think tank À gauche en Europe, créé par l'ancien patron du FMI et Michel Rocard. Après deux ans de cabinet auprès de la ministre de la Santé, il a été débauché en 2014 par Unibail-Rodamco, le géant européen des centres commerciaux, où il a dirigé la communication et les relations institutionnelles. Les publicitaires Adrien Taquet et Gabriel Gaultier, fondateurs de l'agence Jésus et Gabriel, peaufinent les slogans et la stratégie marketing. Julie de la Sablière, une conseillère en communication, gère les relations avec la presse. À la fin de l'été 2016, c'est un ancien dirigeant de BNP Paribas qui reprend le dossier.

Sylvain Fort, c'est son nom, ne connaissait pas Emmanuel Macron. Mais son CV plaît bien au patron d'En Marche. Ce quadra est auparavant passé par l'agence de communication DGM, fondée par Michel Calzaroni, conseiller de plusieurs patrons du CAC 40, dont Vincent Bolloré. C'est un normalien, germaniste, grand amateur d'opéra et qui vote à droite. Sylvain Fort a également dirigé les relations institutionnelles et la communication de Scor, le groupe de réassurance présidé par Denis Kessler, éminence grise ultralibérale du patronat. Proche de Martin Bouygues et directeur général adjoint du groupe de BTP et télécoms du même nom, Didier Casas, énarque, conseiller d'État et banquier, s'offre un congé pour rejoindre l'équipe d'Emmanuel Macron en tant que responsable du volet « régalien » du programme du candidat (défense, renseignement, justice, etc.). Il a connu Emmanuel Macron quand celui-ci était ministre. Secrétaire général de Bouygues, par ailleurs président de la Fédération française des télécoms, il était chargé des relations avec l'État. Et donc directement amené à négocier avec le ministre au nom des opérateurs télécoms.

L'économiste Jean Pisani-Ferry, ancien patron du think tank européen Bruegel, est une autre grosse prise. Il est chargé au début de 2017 de piloter le « programme et les idées ». Jusqu'alors, il dirigeait le commissariat général de France Stratégie, placé sous l'autorité du Premier ministre. Comme Emmanuel Macron, Jean Pisani-Ferry prône des réformes structurelles en Europe et le strict respect des traités européens en matière de déficit. Le staff du candidat embauche aussi l'ex-correspondante aux États-Unis d'i-Télé Laurence Haïm, un « bon produit marketing », entend-on chez En Marche : très suivie sur Twitter, elle a surtout l'avantage d'avoir le lien avec l'entourage de Barack Obama, qui se fendra en toute fin de campagne d'un message de soutien ponctué d'un « En marche ! Vive la France ! » L'ancien patron de l'institut TNS Sofres Denis Delmas rejoint lui aussi l'équipe : le candidat et son entourage décortiquent les enquêtes d'opinion et en commandent beaucoup : plus de 600 000 euros de « qualis », « quantis », « rollings » et autres études d'« unité de bruit médiatique », selon les budgets prévisionnels de l'équipe de campagne pour la période allant d'octobre 2016 à avril 2017. À un tel degré d'addiction, pas étonnant que lorsqu'on parle politique avec des proches d'Emmanuel Macron, la boussole qui indique le nord soit souvent la dernière enquête d'opinion.

L'équipe se targue d'avoir constitué huit groupes d'experts, dont elle garde le nom secret. Autant pour respecter l'anonymat des hauts fonctionnaires ou des cadres du privé que pour alimenter le mystère. Dès avril 2016, un « conseil scientifique » secret a été constitué pour repérer les experts qui vont réfléchir au programme. Dans ce premier noyau, on retrouve le directeur général de la fondation Terra Nova, Thierry Pech, proche du Parti socialiste, celui du libéral Institut Montaigne, Laurent Bigorgne, Jean Pisani-Ferry, alors en poste à France Stratégie, les économistes Yann Algan et Philippe Martin, le politiste de Sciences-Po Marc Lazar. Quant à la liste des experts, que Mediapart a pu reconstituer en partie, elle dessine un microcosme masculin et plutôt jeune de hauts fonctionnaires, diplômés de Polytechnique, de Sciences-Po, de l'Ena et/ou d'écoles de commerce qui mettent leurs connaissances et leurs réseaux au service d'« Emmanuel ». Ils ont pu travailler sous différents pouvoirs, naviguent souvent entre le public et le privé et partagent une vision mainstream de l'économie et des politiques publiques. À nouveau, on retrouve parmi eux plusieurs anciens membres du cabinet de Bercy dont un des plus éminents, l'inspecteur des finances et normalien Thomas Cazenave. Alors qu'il exerce la fonction de directeur de cabinet du ministre socialiste de l'Industrie Christophe Sirugue, et devient même secrétaire général adjoint de l'Élysée en décembre 2016, Thomas Cazenave coordonne dans le plus grand secret le groupe chargé de réfléchir à la réforme de l'action publique – un domaine qu'il connaît bien pour avoir coécrit avec l'économiste Yann Algan *L'État en mode start-up*[1], un livre au titre évocateur préfacé par le ministre Emmanuel Macron.

1. Yann Algan et Thomas Cazenave, préface d'Emmanuel Macron, *L'État en mode start-up. Le nouvel âge de l'action publique*, Paris, Eyrolles, 2016.

Le conseiller d'État Sébastien Veil, ami d'Emmanuel Macron depuis l'Ena, ex-conseiller emploi de Nicolas Sarkozy recyclé dans la finance pour le fonds PAI Partners, est dans la boucle. Tout comme David Azéma, ancien directeur d'Eurostar, de Bank of America et surtout ancien directeur général de l'Agence des participations de l'État (APE), un poste stratégique à Bercy. L'énarque et ancien élève de l'Essec Laurent Hottiaux supervise le volet « sécurité ». Les travaux sur la recherche et l'enseignement supérieur sont conduits par Thierry Coulhon, président du pôle universitaire Paris Sciences et Lettres, qui promeut le rayonnement étranger des universités françaises. Prof à Sciences-Po et haut fonctionnaire au ministère de l'Agriculture, Mathias Ginet coordonne le programme agricole. Le polytechnicien Julien Dehornoy, ancien directeur de cabinet du patron de la SNCF, s'occupe des experts transports. Le programme santé est coordonné par le professeur Jérôme Salomon et par son collègue le cardiologue Jean-Jacques Mourad, le frère de Bernard : ce dernier doit démissionner en mars 2017, après qu'ont été révélés ses lucratifs liens d'intérêts non déclarés avec le laboratoire Servier. Parmi les rares femmes de l'équipe, l'avocate Julia Minkowski, associée du célèbre pénaliste Hervé Temime, coordonne le pôle justice. Elle aussi connaît bien Servier : son cabinet a défendu le laboratoire dans l'affaire du Mediator. Selon nos informations, ce lien d'intérêts a d'ailleurs contraint son compagnon, Benjamin Griveaux, à se « déporter » discrètement du dossier des laboratoires pharmaceutiques lorsqu'il était conseiller de Marisol Touraine au ministère de la Santé.

Pendant la campagne, il n'y aura jamais d'organigramme diffusé aux médias. Une astuce de communication pour souligner la différence d'avec les autres partis et raconter l'histoire d'une équipe au travail sans batailles d'ego. C'est surtout une manière de s'assurer qu'une seule tête émerge : celle d'Emmanuel Macron. Une fois celui-ci élu, une grande partie de ce petit monde s'est retrouvée dans les cabinets du pouvoir. À l'Élysée, Ismaël Emelien est devenu « conseiller spécial ». Le fidèle Alexis Kohler a été promu secrétaire général de l'Élysée, la tour de contrôle de l'exécutif. Julien Denormandie est devenu secrétaire d'État auprès du ministre de la Cohésion des territoires. Chargé de la structuration du réseau des élus et du « casting » des candidats aux législatives, Stéphane Séjourné est « conseiller politique » à l'Élysée. Sibeth Ndiaye, Franco-Sénégalaise passée par l'UNEF, le cabinet d'Arnaud Montebourg et celui d'Emmanuel Macron a hérité de la gestion de la « com » présidentielle. Au « Château », elle s'est installée dans l'ancien bureau de Gaspard Gantzer, l'homme qui tenta, en vain, de sauver l'image de François Hollande. Quant au témoin de mariage Marc Ferracci, il est devenu le conseiller spécial de Muriel Pénicaud, la ministre chargée du dossier brûlant du code du travail. Sa femme, Sophie Ferracci, la taiseuse cheffe de cabinet, occupe désormais la même fonction auprès de la ministre de la Santé, Agnès Buzyn. Oublié du premier casting ministériel puis élu député de Paris, Benjamin Griveaux a intégré le gouvernement comme secrétaire d'État auprès du ministre de l'Économie, Bruno Le Maire. Cédric O a été nommé « conseiller en charge des participations et du numérique », un poste clé rattaché à la fois à l'Élysée et à Matignon. Candidat La République en Marche dans les Hauts-de-Seine, le communicant Adrien Taquet a été élu député. Son successeur à la communication d'En Marche, Sylvain Fort, est devenu la plume du président, spécialisé sur les questions de mémoire, l'une de ses marottes. Les experts Laurent Hottiaux et Thierry Coulhon ont intégré l'Élysée. Quant à Jean Pisani-Ferry, il a été missionné pour définir les contours du grand plan d'investissements de 50 milliards annoncés pendant la campagne. Didier Casas, lui, a réintégré Bouygues, déçu, dit-on, de ne rien avoir obtenu.

4.

Le candidat des élites

Nous sommes le 2 mars 2017, au très chic pavillon Gabriel, à deux pas du palais de l'Élysée. Ce matin-là, Emmanuel Macron présente enfin son projet. Quatre cents journalistes français et étrangers sont accrédités. Cerné d'une cour d'élus et de personnalités, Emmanuel Macron répond à des questions techniques. L'auteur de ce livre prend le micro : « Ce projet, notamment en cas de second tour face à Marine Le Pen, vous permet-il de répondre aux attentes des classes populaires, des classes moyennes, dont vous avez beaucoup parlé, dont vous commencez à beaucoup parler ? Le risque est d'être vu comme le candidat du "mondialisme", mot de Marine Le Pen, de l'"UMPS", mot de Marine Le Pen aussi, finalement du cercle de la raison, des "technos" et de ce que par votre parcours vous pouvez incarner, que vous le vouliez ou non. Comment répondez-vous avec ce projet à ces questions-là ? » L'interpellation, banale, pose la question de l'équation électorale d'Emmanuel Macron, de sa base sociale. C'est le moment que le candidat choisit pour transformer en meeting une conférence de presse jusqu'ici poussive. « Aussi longtemps, dit-il, que la presse qui prétend le combattre propagera les arguments du Front national, elle aidera en effet ce débat. Aussi longtemps que vous passerez plus d'énergie à expliquer que je suis le candidat de l'oligarchie financière, un ancien banquier uniquement, et rien d'autre, et que je ne vaux pas mieux que quatre années de ma vie professionnelle, à vos yeux, parce que moi, j'en suis très fier, de ces années, en effet vous continuerez à faire le lit du Front national, cher ami. »

Assis aux premiers rangs, les soutiens d'Emmanuel Macron applaudissent. Plutôt rare dans une conférence de presse. Emmanuel Macron part alors dans une longue tirade, quatre minutes vingt secondes de pure communication. Non, il n'est pas « l'affreux banquier » que l'on croit. Il vante ses réformes, manie l'anaphore, se lance dans un long plaidoyer pro domo. « J'ai le droit de demander de ne pas être assigné à résidence. Je ne suis pas né dans l'oligarchie financière ou la banque d'affaires ! » Il répète : « Je suis le candidat des classes moyennes et des classes populaires. » Mais il ne répond pas à la question : il voulait juste créer une belle vidéo pour les réseaux sociaux, tenter de casser l'image de relais des patrons qui lui colle à la peau. C'est ainsi : Emmanuel Macron n'aime pas qu'on lui rappelle son passé. Il fait remarquer qu'il a démissionné de l'Inspection générale des finances fin novembre 2016 pour ne plus faire partie d'une « caste ». Mais jusqu'à la fin de la campagne il restera gêné par son double. « Candidat des forces de l'argent », disait le président du Modem, François Bayrou, avant de le soutenir. « Candidat de l'oligarchie », a martelé Jean-Luc Mélenchon. À cause de son ancien métier, de ses réseaux, de son omniprésence médiatique,

Emmanuel Macron apparaît comme un pur produit de l'élite. Entre les deux tours, lorsqu'il se rend à l'usine d'Amiens, plusieurs ouvriers le soupçonnent même de ne pas vouloir leur serrer la main. L'origine de cette rumeur en est une intox pure et simple venue du Gorafi, un site parodique. Mais sa propagation en dit long sur l'imaginaire qu'Emmanuel Macron convoque. « Je ne suis pas le candidat d'une nomenklatura et d'un petit groupe, tente-t-il de rassurer peu de temps avant l'élection. On m'a qualifié pendant des mois d'"ancien banquier loin de la vie de nos concitoyens". Mais je sais d'où je viens, qui je suis. Il m'appartient de montrer que je comprends et que j'agis pour les problèmes quotidiens de nos concitoyens. »

Dans son opération « soyons proche des gens », Emmanuel Macron n'est pourtant pas toujours aidé par ses amis. Il y a ceux qui, comme Benjamin Griveaux, qualifient un peu vite de « rouges-bruns » les militants de la gauche de la gauche[1]. L'encombrant ami Alain Minc, qui lui tresse des louanges comme il le fit jadis pour Édouard Balladur ou Nicolas Sarkozy. Son mentor Jacques Attali, qui estime que la fermeture de l'usine Whirlpool d'Amiens, délocalisée en Pologne dans des conditions scandaleuses, est une « anecdote ». Ou l'ancienne présidente du Medef, Laurence Parisot, candidate déclarée à un poste de Première ministre. Chaque fois, l'équipe d'Emmanuel Macron coupe court avant que la polémique n'enfle. « Il représente le monde d'avant et il est heureux qu'il y reste », entend-on à

1. Mathieu Magnaudeix, « À Amiens, Marine Le Pen tente de pirater Emmanuel Macron », Mediapart, 27 avril 2017.

propos d'Attali. Quelques jours plus tôt, au soir du premier tour, l'ancien sherpa de François Mitterrand a pourtant trinqué à la brasserie parisienne La Rotonde avec Emmanuel Macron et son épouse, un rendez-vous réservé aux intimes.

Le candidat doit aussi répondre de soutiens dont les pratiques fiscales ne sont pas vraiment celles de l'électeur lambda. Mediapart révèle ainsi au cours de la campagne que plusieurs de ses proches, conseillers ou bénévoles actifs dans la campagne, ont eu, en qualité de dirigeant d'entreprise ou pour leur propre compte, des activités transitant par le Luxembourg, resté malgré la levée du secret bancaire un point de passage incontournable pour l'optimisation fiscale des entreprises. Rien n'est illégal, tant que c'est déclaré au fisc français. Mais cela peut mettre en question la volonté d'un Emmanuel Macron président de s'atteler à la lutte contre les paradis fiscaux et la dérégulation financière. C'est le cas par exemple de Françoise Holder, déléguée nationale d'En Marche, ancienne responsable nationale du Medef, nommée coprésidente du Conseil de la simplification lorsque Emmanuel Macron était ministre de l'Économie. Cofondatrice avec son mari des boulangeries Paul et propriétaire de la maison Ladurée, dont les célèbres macarons s'exportent dans le monde entier, elle était un peu la « madame PME » du mouvement. « Elle a surtout été utile pour la levée de fonds », glisse un proche d'Emmanuel Macron. La cheffe d'entreprise se targue d'avoir « résisté à la tentation de l'exil fiscal ». Des documents consultés par Mediapart prouvent toutefois qu'elle a largement su optimiser la gestion de son groupe via le Luxembourg :

la SAS Holder, maison mère domiciliée en France (dirigée par Françoise et son ex-mari Francis Holder), a investi plus de 40 millions d'euros dans le Grand-Duché depuis 2010 ! Trois des structures ayant bénéficié de ces investissements sont directement gérées par leurs enfants. C'est également depuis le Luxembourg que l'empire familial développe ses investissements, selon des montages complexes dont le but exact reste inconnu. « Il s'agit de schémas d'anticipation successorale classiques mis en place quotidiennement par les notaires en application de nos lois françaises », nous répondra Françoise Holder. C'est surtout une façon d'optimiser le capital familial en jouant avec les différentes règles fiscales qui cohabitent en Europe.

Parti en campagne contre les appareils politiques, Emmanuel Macron aime mettre en avant ses soutiens de la « société civile ». Parmi eux : l'ancienne patronne de l'Adie (Association pour le droit à l'initiative économique) Catherine Barbaroux, qui a aussi été DRH du groupe PPR (aujourd'hui Kering), du milliardaire François Pinault ; Jean-Marc Borello, patron du groupe SOS, champion français de l'économie sociale et solidaire ; le directeur de France terre d'asile, Pierre Henry ; le patron de Mozaïk RH, Saïd Hammouche ; l'entrepreneur d'origine syrienne Mohed Altrad, patron du club de rugby de Montpellier, auquel Emmanuel Macron a rendu hommage lors d'un meeting en octobre 2016. Mais il est aussi vu avec bienveillance, sinon poussé, par de puissants réseaux. Au fil des ans, il est devenu l'espoir de tout un pan de la deuxième gauche, les anciens strauss-kahniens orphelins, la frange libérale du Parti socialiste, déçus par les hésitations de François Hollande et l'autoritarisme de Manuel Valls. Depuis la loi Macron, ses sorties sur l'ISF et les 35 heures, il intéresse une droite libérale lassée des dérives identitaires de Nicolas Sarkozy, peu à l'aise avec l'ultra-conservatisme du François Fillon de la primaire. Dans les cercles mondains, Emmanuel Macron, empathique et charmeur, soigne sa réputation. Il a, témoignent ceux qui l'ont pratiqué, ce talent de toujours faire croire à son interlocuteur qu'il est à cet instant la personne la plus importante du monde. Interrogé en 2015 par le *Wall Street Journal*, grand quotidien américain des affaires, Emmanuel Macron avait expliqué ainsi son succès dans la banque d'affaires : « Vous êtes une sorte de prostitué. La séduction, c'est votre métier. » « Il est celui dont [le club] Le Siècle a toujours rêvé : l'homme de gauche faisant une politique de droite, jeune rassurant pour les vieux », résume un habitué des dîners en ville[1].

L'ancien énarque de la promotion Sédar-Senghor est au cœur d'un entrelacs d'amitiés, de clubs selects et d'intérêts bien compris. Il est adoubé par son corps, l'Inspection générale des finances, dont Jean-Pierre Jouyet, ancien ministre de Nicolas Sarkozy et secrétaire général de l'Élysée sous la présidence de François Hollande, est l'une des figures en vue. Il est le poulain des Gracques, ces hauts fonctionnaires sociaux-libéraux plaidant pour d'importantes réformes ; celui qui fut longtemps leur chef de file, Bernard Spitz, par ailleurs président de la Fédération française des assurances,

1. Raphaëlle Bacqué et Ariane Chemin, « Le “fantasme” Macron », *Le Monde*, 12 novembre 2015.

mobilise son réseau en faveur d'Emmanuel Macron. Il est conseillé par Thierry Pech, le directeur général de Terra Nova, qui se fait discret car son conseil d'administration, comptant beaucoup de socialistes, est divisé sur le cas Macron. À la fondation Jean-Jaurès, Gilles Finchelstein continue de loin en loin à prodiguer des conseils : après les législatives, cet insubmersible sera d'ailleurs l'invité du séminaire de rentrée des députés de la nouvelle majorité... Emmanuel Macron est aussi comme chez lui au sein de groupes de réflexion comme le « think tank progressiste » En temps réel, structure dont il a été administrateur alors qu'il était ministre, où se croisent en petit comité le banquier Stéphane Boujnah, Bernard Spitz, mais aussi le PDG de Vallourec et celui de la Banque publique d'investissement, l'ancien conseiller économique de l'Élysée Jean-Jacques Barbéris (parti chez le numéro un européen de la gestion d'actifs, Amundi), le patron des éditions Grasset, Olivier Nora, le directeur de la rédaction de *Libération,* Laurent Joffrin, ou l'ancienne patronne de la SNCF et ministre d'Alain Juppé Anne-Marie Idrac, un temps présentée comme une possible Première ministre.

5.

L'Institut Montaigne au cœur de la campagne

Parmi ces think tanks, l'un se montre particulièrement actif. Créé en 2000 par Claude Bébéar, fondateur d'Axa, et présidé par Henri de Castries, ami intime de François Fillon, le libéral Institut Montaigne est proche du patronat. Fort d'un pactole annuel de 3,8 millions d'euros, l'Institut, qui emploie une quinzaine de salariés, est financé par une kyrielle d'entreprises comme Air France, SFR, Sanofi, Bouygues, Microsoft, Dassault, Orange, Veolia, Vinci, Total, Allianz, Groupe M6, LVMH, Bolloré, Rothschild, Banque Lazard ou le Crédit Agricole. Son mantra est d'« améliorer la cohésion sociale, l'efficacité de l'action publique et la compétitivité de l'économie ». Si l'Institut Montaigne se présente comme indépendant, les aides en sous-main restent tolérées. Certains dirigeants ne s'en sont pas privés. Tous trois membres du comité directeur de l'Institut, David Azéma, l'ex-patronne de la branche voyageurs de la SNCF Mireille Faugère ou le financier Lionel Zinsou, patron de PAI Partners, ont été des soutiens actifs d'Emmanuel Macron. Membre du comité d'orientation de l'Institut, Françoise Holder, la patronne de Paul, est devenue déléguée nationale d'En Marche.

Quant à son directeur général, Laurent Bigorgne, il s'est beaucoup impliqué ; comme le prouvent de nombreux documents issus des « Macron Leaks », cet ancien adjoint de Richard Descoings à Sciences-Po a été un pilier de la campagne, surtout au lancement d'En Marche[1]. Dès avril et mai 2016, il participe au « conseil scientifique » mis en place autour d'Emmanuel Macron. Son rôle devient vite central : « Laurent Bigorgne assurera l'animation des groupes thématiques », lit-on dans un courriel. Il est épaulé dans cette mission par l'ancien conseiller de Nicolas Sarkozy Sébastien Veil, et une ancienne plume de Marisol Touraine, Quentin Lafay. Les membres de ces groupes, qui doivent « respecter la confidentialité des échanges », sont chargés de « construire un kit de formation [à l'attention des militants] sur la thématique dont ils ont la charge » ainsi que de « trouver des mesures radicales, à la puissance symbolique forte ». Parmi elles, la réforme du code du travail ou encore la réduction des effectifs

1. Les « Macron Leaks », soit le hacking et la diffusion de milliers d'emails de l'équipe de campagne d'En Marche, ont été publiés vendredi 5 mai 2017 sur un site de partage puis abondamment relayés. Par la publication dans la nature à moins de deux jours du second tour de l'élection présidentielle d'un très gros volume de données brutes, non vérifiées, impossibles à recouper en si peu de temps, la méthode employée par les initiateurs des Macron Leaks, issus de l'extrême droite américaine, visait à déstabiliser la campagne. Mediapart a d'abord enquêté sur les origines de ce hacking. Pour autant, les Macron Leaks sont susceptibles de contenir des informations d'intérêt public, à condition que les documents soient authentifiés de manière indépendante et que les faits découverts soient confrontés loyalement avec les personnes concernées. C'est ce que nous avons fait, notamment pour ce passage sur l'Institut Montaigne ou nos enquêtes sur les donateurs.

dans les classes de CP et CE1 en éducation prioritaire, dont Emmanuel Macron veut faire des piliers de son programme. À l'automne 2016, Laurent Bigorgne fait partie du « comex », le « comité exécutif » du mouvement, où, comme dans une entreprise, siègent les dirigeants et la garde rapprochée du « chef ». Il réalise les « débriefs » des réunions du « pôle idées », livre des conseils sur les déplacements, rédige un discours sur l'université. Preuve de son engagement précoce, c'est à son adresse personnelle, au Kremlin-Bicêtre, qu'est domiciliée l'association En Marche, au lancement du mouvement. Et pour cause : la « directrice de la publication » du site du nouveau parti n'est autre que son épouse, Véronique Bolhuis. « Cette association a été domiciliée au domicile privé de Véronique Bolhuis, qui est une amie personnelle et qui a accepté à ma demande de faire partie de l'équipe de préfiguration de En Marche », admet Emmanuel Macron. Il jure que son mouvement n'a « aucun lien d'aucune sorte avec l'Institut Montaigne ». Le mélange des genres est tout de même fâcheux. Aujourd'hui encore, Laurent Bigorgne considère que le fait que sa conjointe ait accepté de domicilier En Marche chez eux relève de « sa responsabilité » à elle. Les critiques, dit-il, sont mues par le sexisme. Selon nos informations, l'affaire a en tout cas beaucoup agacé Claude Bébéar, et Laurent Bigorgne a même songé à démissionner. Sa direction l'a retenu, après lui avoir demandé de se faire plus discret.

Au fur et à mesure de la campagne, Laurent Bigorgne a pris du champ. Non sans avoir injecté ses idées dans la campagne et placé ses pions. S'il n'est pas devenu ministre de l'Éducation comme il l'espérait, la nomination de son ami Jean-Michel Blanquer à ce poste sonne déjà comme une victoire personnelle. Ancien directeur général de l'enseignement scolaire (autrement dit, un ministre bis) sous Nicolas Sarkozy, Jean-Michel Blanquer, l'homme qui a alors sabré 80 000 postes dans l'Éducation nationale, est un très proche de l'Institut, où des séances de travail et des auditions d'experts ont été organisées lorsqu'il préparait son dernier ouvrage-programme, *L'École de demain* (aux éditions Odile Jacob), sorti en octobre 2016. Laurent Bigorgne ne tarit pas d'éloges sur l'intelligence de Jean-Michel Blanquer, dont il vante « l'immense modestie » et la « probité intellectuelle ». Rue de Grenelle, la conseillère spéciale du ministre, Fanny Anor, est d'ailleurs une ancienne salariée de l'Institut, connu pour prôner en matière éducative les vertus de l'initiative privée. L'autre domaine dans lequel les idées de « Montaigne » ont infusé concerne les questions sociales. Dans ce domaine, l'influence des notes et réflexions de ses experts se révèle criante. La proposition d'étatiser l'assurance chômage au détriment des partenaires sociaux, mesure emblématique du programme, est une recommandation de l'Institut. Tout comme la promotion des contrats courts, rendus possibles depuis cet été avec le nouveau « contrat de chantier ». Le regroupement des instances représentatives du personnel au sein d'une seule et même institution, qui figure dans la loi autorisant les ordonnances « pour le renforcement du dialogue social », ressemble étrangement à l'une des propositions contenues dans l'ouvrage *Un autre droit du travail est possible*[1], édité sous l'égide de l'Institut Montaigne en mai 2016. Il a été rédigé par Bertrand Martinot, ancien conseiller social de Nicolas Sarkozy à l'Élysée, et par Franck Morel, ex-conseiller de son ministre du Travail Xavier Bertrand... qui est aussi l'actuel conseiller social du Premier ministre Édouard Philippe. Sur de nombreux points, l'Institut porte un discours jumeau de celui d'Emmanuel Macron. Il ne faut évidemment y voir « aucun lien ».

1. Bertrand Martinot et Frank Morel, préfaces de Pierre Gattaz et Jean-Claude Mailly, *Un autre droit du travail est possible. Libérer, organiser, protéger*, Paris, Fayard, 2016.

6.

Les secrets d'une levée de fonds hors norme

« Je ne suis pas pour que le pouvoir de l'argent prenne le pas sur la politique. » Avant de soutenir Emmanuel Macron, François Bayrou était déchaîné contre le fondateur d'En Marche. Il jugeait l'ancien ministre de trente-neuf ans « pas qualifié » pour devenir président de la cinquième puissance mondiale. La proximité de l'ancien banquier avec les milieux d'affaires lui donnait des boutons. « Derrière Emmanuel Macron, disait-il, il y a de grands intérêts financiers incompatibles avec l'impartialité exigée par la fonction publique. » Le maire de Pau n'avait pas de mots assez durs contre ce candidat dont les « équipes » se vantent d'avoir « levé, dans un vocabulaire financier et de Bourse, des millions d'euros ». En échange d'une grande loi sur la moralisation de la vie politique, François Bayrou a ravalé ses critiques. Pas Benoît Hamon. Le candidat socialiste a donné la liste de la poignée de donateurs lui ayant versé plus de 2 500 euros et a mis Emmanuel Macron au défi de faire de même. En vain. Dès le premier jour de la campagne, En Marche a livré des chiffres au compte-gouttes. Le parti s'est bien gardé de donner des noms, ce que la loi ne l'oblige pas à faire. « Nous sommes aussi transparents que la loi l'exige, a justifié son équipe auprès de Mediapart. C'est dingue : on nous reproche de respecter une loi sur le financement politique qui est venue remplacer les mallettes de billets, le cash africain et les fausses factures... » Certes. En réalité, les noms et des montants correspondants auraient surtout remis en cause la communication officielle d'En Marche qui a toujours préféré insister sur les milliers de petits donateurs ayant versé des oboles parfois symboliques. Bien sûr, ils ont existé. Mais l'exploitation des milliers d'emails et documents issus des Macron Leaks, ainsi que d'autres documents récupérés au fil de la campagne, a révélé comment la garde rapprochée d'Emmanuel Macron a réussi à collecter 14 millions d'euros entre avril 2016 et avril 2017 : c'est bien une camarilla de banquiers d'affaires qui a pris en main cette levée de fonds hors norme, mobilisant réseaux et carnets d'adresses au service de leur poulain.

Nous sommes le 13 février 2017 : « Comme vous l'observez, notre start-up continue de tracer son sillon ! Alors que nous allons entrer dans le "dur" dans les prochains jours, nous avons plus que jamais besoin de soutien. » La « start-up » en question n'est pas une entreprise comme les autres. Et l'homme derrière son clavier n'a rien d'un banal VRP. Christian Dargnat est l'ancien directeur général de BNP-Paribas Asset Management, branche du groupe bancaire chargée de la gestion d'actifs. « Marcheur » de la première heure, il a tout lâché en avril 2016 pour organiser « à titre bénévole » le financement de la campagne de son ami Emmanuel Macron. Christian Dargnat, le président de l'Association de financement d'En Marche (AFEMA), c'est l'homme du coffre-fort. Pendant des mois, il a multiplié les rendez-vous discrets, les dîners confidentiels et les emails de relance pour les riches donateurs, en plein accord avec l'actuel locataire de l'Élysée. Le courriel du 13 février est adressé au collectionneur américano-allemand Olivier Berggruen, une figure incontournable du marché mondial de l'art. Dès le lendemain, le riche New-Yorkais répond favorablement à la demande de Christian Dargnat en promettant de « contribuer pour 4 000 euros au mouvement et 4 000 euros au candidat ». Un virement est effectué deux jours plus tard : 8 000 euros en un message, voilà qui témoigne d'une redoutable efficacité.

Les plus fidèles soutiens d'Emmanuel Macron se sont discrètement activés dès le printemps 2016 pour organiser de façon méthodique la mobilisation des contributeurs fortunés. Emmanuel Macron est encore à Bercy, mais il veut déjà tout faire pour se présenter à la présidentielle. Une véritable « task force » s'organise alors autour de Christian Dargnat. Dans cette petite équipe soudée, on trouve Emmanuel Miquel, capital-risqueur chez Ardian et trésorier de la même association (aujourd'hui conseiller « entreprise, attractivité et export » à l'Élysée), mais aussi Stanislas Guerini, directeur de « l'expérience-client » chez Elis, délégué du mouvement à Paris, élu en juin député de la capitale... et Cédric O, le mandataire financier de la campagne, aujourd'hui en poste à l'Élysée. Magie des réseaux Macron, ces trois-là se connaissent de longue date : en 2002, ils sont entrés en même temps à HEC, la célèbre école de commerce de Jouy-en-Josas (Yvelines) où le Medef organise chaque année son université d'été.

Les trois ont même géré ensemble le bureau des élèves (BDE), après avoir gagné l'élection de haute lutte. « Ils fonctionnaient déjà comme un gouvernement, raconte une connaissance commune. Emmanuel était déjà chargé de la levée de fonds, et Stanislas avait ficelé le projet. » Un ancien se rappelle d'un BDE très actif, qui a « négocié avec la direction pour animer le campus le soir, ouvert des buvettes et fait venir des prestataires extérieurs le week-end ». Cédric O et Stanislas Guerini, très liés, se retrouveront en 2006 au QG de Dominique Strauss-Kahn, avec Ismaël Emelien et Benjamin Griveaux.

Cette fois au service d'Emmanuel Macron, la bande d'HEC se reforme. Pendant des mois, le petit groupe manœuvre avec une seule idée en tête : faire fructifier les carnets d'adresses des uns et des autres et fonder un club de « grands donateurs » aux profils globalement homogènes (urbains, CSP +, issus de grandes écoles). La stratégie est assez proche du « Premier Cercle » de riches contributeurs ayant financé une partie de la campagne de Nicolas Sarkozy en 2007. L'entourage d'Emmanuel Macron s'en est toujours défendu, au motif qu'En Marche n'a jamais organisé de grand raout mélangeant ces mécènes. Mais le but est le même : soulager en priorité les gros portefeuilles, dans la limite légale : 7 500 euros par an et par personne, 4 600 euros au parti en période électorale.

En septembre 2016, alors qu'Emmanuel Macron vient de quitter le gouvernement, Christian Dargnat résume dans un courriel la stratégie de collecte. Elle est limpide. « Quand on sait que les dépenses de campagne présidentielle sont limitées à 22 millions d'euros et que nous pourrions contracter un prêt bancaire (à hauteur de 9 millions) remboursé si le candidat dépasse le seuil des 5 % aux élections, il nous reste donc à “trouver” 13 millions », expose-t-il. « Si l'on arrondit à 10 millions le budget à trouver, il faut donc obtenir des dons de 1 333 personnes à 7 500 euros chacune ». La priorité est mise sur les gros dons, ceux qui vont permettre de faire grimper les compteurs pour payer l'équipe qui ne cesse de grossir, les meetings et les centaines, puis les milliers d'événements organisés chaque semaine partout en France. Dans les emails de l'équipe, on retrouve même un document de travail diffusé et amendé en comité restreint en avril 2016 : une notice pour la chasse méthodique aux millions. À cette date, En Marche est un mouvement balbutiant. Le tout nouveau parti n'a enregistré que 400 000 euros de dons et promesses – à 95 % de grands donateurs à 7 500 euros. L'équipe veut passer la vitesse supérieure. Consigne est passée d'activer l'impressionnant maillage des réseaux d'entrepreneurs, banquiers, avocats, lobbyistes et autres « influencers » susceptibles de dégainer l'équivalent de six Smic et demi. Ces généreux bienfaiteurs seront approchés à travers des dizaines de dîners organisés en France et à l'étranger, souvent en présence du « chef ».

Pour collecter de l'argent avec l'élégance et le raffinement qui siéent aux portefeuilles bien garnis, le raout privé avec Emmanuel Macron en chair et en os est en effet, et de loin, la méthode la plus efficace. En moyenne, le candidat a participé à un « événement » tous les dix jours depuis le printemps 2016, donc avant même son départ du gouvernement. « Une vingtaine de déjeuners ou de dîners en sa présence », comptait Christian Dargnat en mars 2017. La plupart de ces rencontres ont lieu à Paris. Il y a aussi, apprend-on dans certains échanges, une « forte demande pour organiser des événements » à l'étranger. En octobre 2016, un dîner est organisé à Uccle, dans la banlieue huppée de Bruxelles, lieu de résidence favori des exilés fiscaux français, à l'invitation du fondateur de la marque Celio, Marc Grosman. À New York, lors du déplacement américain d'Emmanuel Macron avant Noël, des figures de la communauté française sont conviées au restaurant Benoît, enseigne du célèbre chef Alain Ducasse. Pour l'occasion, l'ancien ministre UMP Renaud Dutreil, ex-PDG de la branche américaine du groupe LVMH, détenu par le milliardaire Bernard Arnault, a « donné tout son fichier ». « Il y avait de tout : des artistes, des avocats, des acteurs, des gens de la mode ou du retail. La communauté française à New York, ce ne sont pas que des financiers », nous a expliqué Renaud Dutreil, fondateur de La Droite avec Emmanuel Macron. Sur place, le financier Christian Déséglise, directeur monde des banques centrales chez HSBC et professeur à l'université Columbia, a donné un coup de main.

Le rituel des dîners est codifié. Les hôtes invitent leurs amis, leurs proches, des relations à une « conférence-débat » avec Emmanuel Macron. Tous ne se connaissent pas forcément. « Il y a une sorte de sélection naturelle à l'entrée, explique Mathieu Laine, ami d'Emmanuel Macron, lobbyiste et essayiste libéral vivant à Londres, qui a organisé un dîner à Paris il y a plusieurs mois. Si l'on est convié dans ce genre de rendez-vous, c'est qu'on est susceptible de donner pas mal. Ce sont plutôt des gens du monde des affaires, des cadres supérieurs, des entrepreneurs, des banquiers d'affaires, des professions libérales. » Un participant parisien, qui souhaite rester anonyme parce que ses amis les organisateurs le lui ont demandé, raconte une ambiance « cosy, le champagne, le jus de pêches de vigne, le buffet chic ». Christian Dargnat, parfois épaulé par l'un de ses adjoints, lance la soirée en parlant de l'impératif financier. Il rappelle toujours que les dons aux partis ouvrent droit à une réduction fiscale de 66 %. La volonté de discrétion est assumée. Christian Dargnat l'admet : « Nous organisons ces événements chez des privés pour des raisons de confidentialité. Dans un restaurant, les curieux pourraient se coller aux fenêtres. Et chez un privé, cela ne coûte rien, sauf lorsque les hôtes me demandent de participer pour les petits-fours ! » D'autant que les frais liés aux dîners organisés au domicile des donateurs sont des « dépenses privées non intégrées » aux comptes de campagne. C'est en général à ce moment-là qu'Emmanuel Macron entre en scène. Très à l'aise dans ce genre d'atmosphère mondaine, il fait le show et répond aux questions. « Il est incroyable, il t'embarque », dit une participante, bluffée. « Les gens ont tous été séduits », témoigne un ancien sarkozyste. Une participante parisienne a raconté sur son blog l'une de ces soirées très privées. Un témoignage rare, qui a agacé au plus haut point l'équipe de campagne. Son récit, piquant, est instructif. « La maîtresse de maison a dit "Pas de photos, surtout pas d'Instagram, pas de réseaux sociaux, les selfies, n'en parlons pas, tout ce qui se dira au cours de cette soirée doit rester strictement confidentiel". [...] Dans cet appartement somptueux aux lumières tamisées, le champion Emmanuel Macron est en train d'offrir une performance privée de grande qualité. Les invités courent en moyenne dans la catégorie CSP + chic, quinqua et au-delà, les dames ont des vestes Chanel et ces messieurs ont les souliers qui brillent. Ils sont enchantés et distribuent des sourires de bienveillance à la pelle. L'assemblée boit du petit-lait et du bon vin. » La dame raconte une scène cocasse : « Lorsque Emmanuel, au détour d'une phrase, rappelle qu'il est aussi socialiste et qu'il taxera prioritairement les retraités aisés, ça fait un peu l'effet d'un coitus interruptus, En Marche avec un caillou dans la Berluti, on va pas aller loin, se disent alors certains. C'est le moment poilant de la soirée. »

Quand on l'interroge sur les dîners, l'équipe d'Emmanuel Macron ressert les mêmes « éléments de langage ». Il y a de la perte en ligne, nous dit-on, car certains pingres ne lâchent que 10 euros, même pas le prix de ce qu'ils ont bu. Le don médian n'est que de 50 euros, la preuve que beaucoup de mécènes signent de petits chèques. Et si, au total, chaque personne a pu donner 19 600 euros maximum en son nom – 7 500 euros au parti avant le 31 décembre 2016, la même somme après, plus 4 600 euros au candidat –, Christian Dargnat assure que « très peu de donateurs sont dans ce cas-là ». Pas de risque donc que le futur président soit sous influence. « 7 500 euros, c'est ce que donne à l'UMP un pharmacien de Montélimar. C'est une somme trop faible pour influencer la décision, jure Renaud Dutreil. Je ne peux pas savoir ce qu'il y a dans la tête des gens, soutient Christian Dargnat. Veulent-ils l'influencer, avoir une relation directe ? Ce que je sais, c'est que beaucoup le font par générosité et par enthousiasme. » En réalité, cette communication est soigneusement élaborée. En avril 2017, juste avant l'élection, alors qu'Emmanuel Macron est pressé par certains médias de faire la lumière sur l'origine des dons, le cerveau de la campagne, Ismaël Emelien, préconise de communiquer en priorité sur le fameux don médian de 50 euros et d'insister sur les 35 000 donateurs à l'origine de la collecte totale, qui s'élève alors à 10 millions d'euros. Il précise par ailleurs qu'« un tiers des dons » sont inférieurs ou égaux à 30 euros, « deux tiers des dons » inférieurs ou égaux à 65 euros et que les « dons supérieurs à 5 000 euros » ne représentent que « 1,7 % du total des donateurs ». Des chiffres bien pratiques car ils permettent de masquer un fait essentiel : l'importance des gros contributeurs dans les volumes récoltés. Selon un décompte interne effectué un mois avant la présidentielle, 631 donateurs au total avaient fait un don supérieur à 5000 euros. Certes, ils ne représentent que 1,7 % du total des donateurs. Mais une simple multiplication suffit pour comprendre qu'ils représentent au moins 3,1 million d'euros, soit un tiers du volume total des dons.

Ce que l'équipe d'Emmanuel Macron craint par-dessus tout, c'est la révélation des montants astronomiques qui peuvent être levés en une seule fois. Toute fuite malencontreuse pourrait accréditer l'idée que cet homme-là est bien le candidat des « puissances d'argent ». Ces sauteries, symboles du confinement et de l'endogamie d'une certaine élite, sont « très mal vu[e]s par certaines catégories de la population », convient En Marche dans une note interne. Des participants un peu trop bavards sont d'ailleurs sèchement rabroués par l'équipe de campagne ou leurs propres amis, inquiets de se faire mal voir par le possible futur président de la République. Il faudra attendre les Macron Leaks pour découvrir comment l'argent a coulé à flots. Mi-avril 2016, un seul déjeuner à Londres, au domicile de la directrice financière d'un site de vente en ligne, permet de réunir 281 250 euros. Deux semaines plus tard, à Paris, un cocktail dînatoire génère 78 000 euros... en à peine une heure et demie. Un autre dîner parisien organisé à l'automne rapporte autour de 100 000 euros. Une *cash machine*. « Chez moi, j'avais annoncé la couleur, confie un hôte. Ce n'était pas une soirée pour mondains curieux ni un gala de charité. Seuls 4 % des invités n'ont pas donné. »

Dans cette grande traque aux portefeuilles bien garnis, Londres, à une heure de Paris par l'Eurostar, est un lieu incontournable où habitent des milliers et des milliers de Français start-uppers, entrepreneurs, financiers ou traders. Sur place, les têtes de pont du réseau Emmanuel Macron s'appellent Ygal el-Harrar, financier chez Exane (filiale de la BNP-Paribas), et Albin Serviant, patron du site appartager.com. Cet entrepreneur du Web, classé à droite, est l'un des coordinateurs du très officiel label French Tech outre-Manche. Il organise aussi des dîners pour « happy few » dans son club privé French Connect, où l'adhésion annuelle coûte 700 à 1 200 euros. Christian Dargnat multiple les discrets allers-retours de l'autre côté de la Manche. Emmanuel Macron lui-même s'y rend à trois reprises. En février, il participe dans la capitale britannique à trois collectes de fonds en deux jours. Au total, 120 donateurs y assistent. Une fois tous les dons reçus, l'équipe parie sur un écot moyen de 3 500 euros et compte sur plus de 200 000 euros de recettes. Le jackpot.

Les documents internes révèlent une organisation méthodique, quasi militaire. Le 1er juin 2016, le conseiller de dirigeants d'entreprise Édouard Tétreau, proche de l'ancien PDG d'Axa Claude Bébéar, accueille l'un des tout premiers grands cocktails parisiens. « Durée : une heure trente, dont passage d'Emmanuel d'une heure », note minutieusement l'équipe d'En Marche. Tout est millimétré : « Salutations quinze minutes, speech vingt minutes, Q & A vingt minutes, sortie cinq minutes. » Les invités sont triés sur le volet : une trentaine de « quadras, hors CEO CAC 40[1] ». Il faut prendre des précautions : Emmanuel Macron est encore ministre. Une semaine plus tard, Édouard Tétreau renouvelle l'expérience. Cette fois, trente-deux personnalités issues de « différents cercles [avocats, conseil, lobbying, édition, etc.] » sont concernées. Le mouvement n'a plus qu'à valider la liste d'invités. Mais « attention ! », alerte En Marche : « un partner d'Image 7 », la boîte de la communicante Anne Méaux, qui conseille alors le candidat à la primaire de la droite François Fillon, fait partie des convives potentiels. Tout risque de mauvaise publicité doit être écarté. D'autres « PP » (les « poissons-pilotes », le nom que leur donne En Marche) s'activent en coulisses. Tout comme Hélène Chardoillet, directrice du développement d'une PME dans le domaine bancaire et « amie » d'Astrid Panosyan, une ancienne du cabinet d'Emmanuel Macron. Au mois de mai, Hélène Chardoillet alerte

1. « Q & A » : questions-réponse ; « CEO » : PDG

Emmanuel Miquel, le bras droit de Christian Dargnat, sur le positionnement politique du candidat. « Les personnes que je connais et que j'ai commencé à approcher (cinq sur cette dernière semaine) sont de sensibilité politique centre droit, et leur retour en substance est le suivant », écrit-elle : flou sur le programme d'Emmanuel Macron, danger de voir sa candidature phagocytée par François Hollande, faiblesse de son bilan à Bercy. « Mon sentiment, développe Hélène Chardoillet, si nous restons sur l'objectif précis du *fundraising*[1], est que cette cible centre droit n'est pas, pas du tout mûre pour la donation. Positionnement, programme et démarcation de Hollande seront des éléments clés pour que cette cible évolue. » « Top de voir ces manifestations », se réjouit Emmanuel Miquel dans un message en copie au reste de la direction d'En Marche. Seul bémol : Emmanuel Miquel « pense qu'il faut être vigilant à ne pas trop diluer l'exercice de *fundraising*. Il faut certes se démultiplier, mais le sujet FR [*fundraising*] reste sensible. » Trois semaines plus tard, Christian Dargnat, encore lui, est à la manœuvre pour motiver les troupes. « Si vous connaissez des gens désireux d'aider la cause, n'hésitez pas à les orienter vers moi », encourage-t-il par email. L'appel est reçu cinq sur cinq. « Hello, une de mes amies me dit que son patron [d'une mutuelle] souhaiterait participer à un de nos dîners. J'ai bien précisé que c'était réservé aux grands donateurs :) », écrit le trésorier du mouvement, Cédric O. Un mois plus tard, Christian Dargnat donne des nouvelles. Bonne pioche :

1. « Collecte de fonds », en anglais.

« J'ai déjeuné avec le DG et [la responsable des affaires publiques du groupe] : excellents contacts et gros potentiels de *networking*. Merci encore. Cédric O préconise de convier à un dîner du mois de juillet un patron qu'il connaît personnellement : « Je ne suis pas certain qu'il donnera, mais c'est un très gros *driver* pour d'autres (sur la thune et en termes de réseau). » Bien vu : ce quadra donnera finalement 2 500 euros. La priorité reste les gros, les très gros donateurs. « Nous organisons le 1er juillet un déjeuner autour d'Emmanuel Macron : si vous avez des gens prêts à contribuer à hauteur de 7,5 K€, envoyez à Emmanuel Miquel et moi-même les coordonnées de ces personnes », écrit encore Christian Dargnat à une dizaine de ses contacts personnels. Dans la liste, on trouve plusieurs de ses collègues ou ex-collègues haut placés à la BNP : Frédéric Surry, directeur des investissements actions et obligations convertibles, Denis Panel, directeur général d'une des filiales du groupe bancaire, et un ancien de la maison, David Pillet, ex-business manager ayant fondé en 2016 sa propre société de conseil.

Bientôt, une nouvelle soirée fait saliver l'équipe : vingt-trois chefs d'entreprise « qui peuvent bcp aider » ont déjà promis d'être là. L'un d'entre eux, patron d'une jeune société d'investissement, semble « très *helpful*[1] ». Un autre – dans le classement *Challenges* des plus grandes fortunes de France en 2016 – est carrément « au taquet ». La récolte promet d'être grandiose. L'équipe tient des tableaux précis de chacun des

1. « Prompt à aider », en anglais.

événements. Christian Dargnat veille au grain. « Peux-tu m'envoyer la liste des invités (noms + adresses emails) de ton dîner afin que nous puissions suivre l'évolution des contributions et t'en rendre compte également ? », demande l'ancien banquier à l'organisateur d'un dîner. Les retours sont bons, mais il faut à tout prix garder le rythme. « Les amis, les deux prochaines semaines, nous n'avons pas de dîner FR, souffle Emmanuel Miquel le 20 juin. Nous nous proposons avec Christian de (re)mettre la pression sur ceux qui auraient déjà dû donner, afin de les relancer pour qu'ils donnent d'ici la fin de semaine. » Le trésorier soumet alors à son équipe une liste de sept noms, « soit un potentiel de 53K€ pour cette semaine ». Ismaël Emelien, le très proche conseiller d'Emmanuel Macron, se propose même d'en appeler quelques-uns. Mais pas l'avant-dernier nom de la liste, le directeur général d'une grande entreprise française de sites Internet, « pas très chaud pour payer, il aide beaucoup en termes de conseil ». À l'autre bout de la chaîne, Emmanuel Macron supervise les opérations par l'entremise de son cabinet. « Sophie [Sophie Ferracci, la cheffe de cabinet d'Emmanuel Macron], peux-tu nous faire un point avec les prochaines dates ? Merci bcp », demande le futur secrétaire d'État Julien Denormandie. À la même période, Christian Dargnat sollicite Emmanuel Miquel et Cédric O pour qu'ils trouvent « des gens qui pourraient organiser des dîners » à l'occasion des déplacements à venir du ministre à « Orléans le 8 mai, La Rochelle le 9 mai, Toulouse le 19 mai, La Grande-Motte le 26 mai, Chalon-sur-Saône le 30 mai, Rennes le 20 juin, Annecy le 23 juin ». En Marche veut désormais braconner en région. Le mouvement assure que ces dîners provinciaux ont été des fiascos.

Ministre, Emmanuel Macron ne s'est pas investi personnellement dans la collecte. « Tant qu'Emmanuel est ministre, je ne crois pas en sa volonté de vouloir signer les courriers [de remerciement aux donateurs de plus de 500 euros] », prévient Julien Denormandie. Le « chef » se contente de textos. Il faut dire que la frontière entre le ministre et le candidat est parfois ténue. Comme pour ce grand investisseur à la tête d'un fonds qui sollicite une audience auprès d'Emmanuel Macron-ministre après avoir fait un don à Emmanuel Macron-candidat. Son message est directement transmis par Julien Denormandie à Sophie Ferracci (dans la « pochette "demande d'audience" », sans que l'on sache si ce donateur a obtenu gain de cause). Le 15 septembre 2016, Emmanuel Miquel, prudent, rappelle la nécessité de vérifier « l'absence éventuelle de conflits d'intérêts (incompatibles avec les fonctions passées d'EM) » et le « caractère recommandable du donateur ». Il transmet une liste comportant les noms et les coordonnées de soixante-deux contributeurs à vérifier, principalement domiciliés à Paris et à Londres, et qui représentent 276 000 euros de dons. Cette fois, c'est Alexis Kohler, l'ex-« dircab » de Bercy, qui se charge de répondre. « Je regarde de plus près demain, mais je n'en vois aucun susceptible de poser problème à première vue », répond-il. Certaines pratiques ne laissent toutefois pas d'étonner. Christian Dargnat explique à Mediapart avoir finalement encaissé « à la fin de l'année » 2016 « quatre ou cinq » chèques reçus alors qu'Emmanuel Macron était encore à Bercy, mis de côté à l'époque pour éviter tout conflit d'intérêts, sachant que l'activité des signataires pouvait être « influencée par les décisions du ministre ».

Pour les donateurs étrangers, « peut-être dix au total », relativise Christian Dargnat, la prudence aussi est de mise. À la différence par exemple d'Alain Juppé, l'un des candidats de la primaire de droite, l'équipe d'Emmanuel Macron ne les écarte pas, « sauf par précaution, s'il y a le moindre doute » sur l'origine des fonds. C'est arrivé quelquefois. Christian Dargnat a poliment retourné l'argent. Mais il ne veut pas donner de noms ni de nationalités, « pour ne pas jeter l'opprobre ». Encore une fois, les Macron Leaks permettent d'en savoir un peu plus. « Vous êtes à l'aise avec les virements reçus ? », s'inquiète par exemple, le 2 février 2017, le mandataire Cédric O en découvrant les noms de plusieurs étrangers sur un relevé de compte. « Oui, je les connais tous », répond Christian Dargnat dans la minute. La banque saisit à plusieurs reprises l'équipe du candidat. « Je suis à même de vous les réclamer [des justificatifs pour des virements en provenance de l'étranger] en fonction des demandes de notre service des affaires internationales », prévient la directrice adjointe de l'agence du Crédit Agricole où est logé le compte de campagne. Mediapart a identifié plusieurs situations litigieuses – toutes résolues a posteriori, selon les documents consultés –, dues notamment à l'incompréhension par certains donateurs de la réglementation française (interdiction de contribuer pour une personne morale, dépassement des seuils). Le 21 mars, par exemple, le compte de l'AFCPEM reçoit un virement de 12 000 euros de la part d'un richissime donateur installé à Madagascar, Amin Hiridjee, très présent dans les secteurs de la finance, des télécoms, de l'immobilier et de l'énergie. « Nous sommes contraints de rembourser intégralement les dons qui dépassent les plafonds », alerte Christian Dargnat, avant de demander au frère du donateur – Hassanein Hiridjee, qu'il tutoie – s'il peut lui proposer, « si cela n'est pas trop gênant », de faire deux virements. Pas de problème : « Je m'en occupe et te reviens », répond Hassanein Hiridjee. Parfois, les investisseurs étrangers ont pris attache avec l'équipe. Fin mars 2017, alors qu'Emmanuel Macron s'installe en tête des sondages, le dirigeant d'un important hedge fund de New York sollicite Cédric O, par l'entremise d'une connaissance commune, pour qu'il organise une rencontre avec un membre du mouvement à Paris. Cédric O l'oriente alors vers Christian Dargnat, qui accepte la mission : « Oui, j'en fais 2 à 3 par jour des présentations de ce type... Cela me détend, des négociations sur le prêt [En Marche est alors en pleine négociation – tardive – d'un emprunt de 8 millions]. » Plus problématique est le sujet traité, début janvier, lors d'une réunion réduite à cinq participants. Les fidèles d'Emmanuel Macron ouvrent la discussion sur un point « spécifique » : le cas du « financement d'une vingtaine de donateurs libanais ». « Problème traité (identifié) », notent les participants dans leur compte rendu. Sollicité pour donner plus d'explications quant à la nature du problème et sa résolution, En Marche n'a pas répondu à nos questions.

Toujours à cours d'argent frais, Christian Dargnat a également lorgné vers l'Afrique. Peu après le lancement d'En marche en juin 2016, le financier envoie un message au responsable d'une grande banque française sur le continent. « Comme évoqué, par votre intermédiaire [...], ce serait exceptionnel de pouvoir organiser une levée de fonds sur le continent africain, et notamment en Côte d'Ivoire ». Sollicité par Mediapart, le banquier explique qu'il a bien rencontré par la suite Christian Dargnat puis Emmanuel Macron, mais déclare avoir refusé de s'engager : « La question d'une levée de fonds n'a en réalité jamais fait l'objet d'une discussion, affirme-t-il. J'ai dit clairement que nos fonctions ne pouvaient pas nous permettre de nous mettre en avant de manière ostentatoire. J'ai dit que si une visite en Côte d'Ivoire s'organisait, je pourrais y participer au titre de citoyen franco-ivoirien, mais c'est tout. Je n'aime pas le mélange des genres. » D'autres banquiers n'ont pas pris de telles précautions. La banque Rothschild, où Emmanuel Macron a travaillé pendant quatre ans, lui a ainsi apporté un soutien sans réserve. À la fin de septembre 2016, Olivier Pécoux, directeur général de Rothschild – dans les faits, le dirigeant opérationnel de la banque –, organise une rencontre de donateurs potentiels sur les Champs-Élysées. Déjà contributeur pour un montant de 7 500 euros au mouvement, Olivier Pécoux n'avait toujours pas été remboursé des frais engagés pour l'événement sept mois plus tard. L'a-t-il été depuis ? Il n'a pas répondu à nos sollicitations. Cinq autres associés gérants de cette banque, interlocuteur privilégié de l'État dans des opérations capitales menées par le ministère des Finances, ont aussi directement soutenu En Marche. Il s'agit de Laurent Baril (don maximal de 7 500 euros),

Cyril Dubois de Mont-Marin (7 500 euros), Cyrille Harfouche (7 500 euros), Alexandre de Rothschild (2 500 euros) et Arnaud Joubert (7 500 euros). Florence Danjoux – compagne de Vincent Danjoux (autre associé de la banque) – fait aussi partie des premiers donateurs (7 500 euros). Tout comme Luce Gendry (3 000 euros), associée gérante jusqu'en 2016. Le 19 mai 2016, un cadre de Rothschild, Philippe Guez, organise lui aussi une récolte de dons dans son appartement du XVIe arrondissement. Sont conviés une dizaine d'invités – chefs d'entreprise, avocats, *family office* et investisseurs dans l'immobilier –, en compagnie de Christian Dargnat et d'Emmanuel Macron. « Tous ont été informés d'une contribution de 7 500 euros », précise alors l'hôte de l'événement.

Dans un autre établissement bancaire, la banque privée Edmond-de-Rothschild, certains salariés se sont eux aussi très activement engagés dans la campagne. C'est le cas par exemple de Mylène Bonot, une chargée de partenariat qui n'a pas ménagé son temps dans la collecte. « Salut à tous. Suite à notre échange d'hier soir et comme convenu, je vous fais suivre le profil de Mylène, proposait Cédric O en avril 2016. Je pense qu'elle serait top pour donner un coup de main sur le *fundraising* pour gérer la bande passante de contacts : elle est très maligne, hypersympa, c'est son job de soutirer de la maille aux gens qui ont de la thune et en plus c'est une meuf, ce qui est un atout non négligeable. Par ailleurs, je la connais très bien et je lui fais confiance », ajoutait-il à l'époque. Depuis, la jeune femme s'est activement impliquée dans la prospection et la relance de « grands donateurs » du mouvement, en liaison étroite avec Emmanuel Miquel. A-t-elle été rémunérée pour cette tâche ? Ou, peut-être, s'agissait-il d'un investissement à plus long terme ? Ni elle ni l'équipe d'En Marche n'ont répondu à nos questions sur le cadre de cette mission top secrète.

7.

Questions sur un patrimoine

« Libéral » assumé, Emmanuel Macron célèbre le « talent »... à commencer par le sien. Le 21 février, il justifie de la sorte sa proposition d'alléger l'ISF et la taxation du capital devant deux mille Français expatriés réunis au chic Central Hall de Londres : « Dans le football, dans le rugby, dans les sciences, dans le monde de la finance, dans l'entreprise, il faut des gens exceptionnels. Il ne faut pas que ça, que chacun ait sa place, mais il faut des gens formidablement talentueux. Donc il faut aimer le succès. Si l'on n'aime pas le succès, les gens à succès vont le chercher ailleurs. Et ça n'est pas bon pour votre économie. » Le discours semble surgi des clinquantes années Tapie. Emmanuel Macron se défend pourtant, dans son livre *Révolution*, d'être né avec une cuillère en argent dans la bouche : « L'histoire de ma famille est celle d'une ascension républicaine dans la province française, entre les Hautes-Pyrénées et la Picardie. » Son passage par la banque d'affaires ? « Je ne partage ni l'exaltation de ceux qui vantent cette vie comme l'horizon indépassable de notre temps, ni l'amertume critique de ceux qui y voient la lèpre de l'argent et l'exploitation de l'homme par l'homme. » Il se dit « fier » d'être passé par la banque d'affaires. Quatre années qui lui ont permis d'être « extraordinairement bien payé », reconnaît son équipe. Et ont suscité une foule de questions au cours de la campagne, laissées pour certaines sans réponse.

À peine nommé à Bercy, en 2014, il tente déjà de tuer les fantasmes sur sa richesse présumée en distillant quelques chiffres dans *L'Express* : oui, il a bien gagné sa vie chez Rothschild ; non, il ne paye même pas l'ISF. Trois mois plus tard, la mise en ligne de ses déclarations de patrimoine et d'intérêts complètes fait pourtant surgir deux questions : comment peut-il échapper à l'ISF (dont le seuil est fixé à 1,3 million d'euros par foyer fiscal) avec à son actif un appartement parisien estimé près de 935 000 euros, une résidence de son épouse au Touquet et des revenus cumulés chez Rothschild ayant atteint 2,9 millions d'euros entre 2009 et mai 2012 ? Surtout, comment expliquer que son patrimoine net stagne sous les 200 000 euros (une fois ses emprunts déduits) ? La réponse à la première question, c'est Mediapart et *Le Canard enchaîné* qui l'apportent en mai 2016 : après que l'administration a réévalué la maison du Touquet à sa juste valeur (1,4 million d'euros), Emmanuel Macron a bien dû payer l'ISF sur les années 2013 et 2014. Rattrapé par le fisc, le couple s'est finalement acquitté, en septembre 2015, des plus de 6 000 euros d'impôt dus. « Je n'ai pas sous-évalué mon patrimoine en vue d'échapper à l'ISF, ni organisé de dispositif fiscal pour échapper à cet impôt », réplique Emmanuel Macron en dévoilant le montant de son ISF sur Facebook, à l'euro près. Trop tard.

Depuis, l'appartement parisien a été revendu. Mais la seconde question, réactivée par sa déclaration de patrimoine d'octobre 2016, poursuit le candidat plus que jamais. Car cette fois il affiche un différentiel d'à peine 65 000 euros entre ses actifs (assurance vie, comptes bancaires, etc.) et son passif (un emprunt de 250 000 euros toujours en cours). « Les millions évaporés de Rothschild », titre *L'Obs*, se demandant comment l'ancien banquier a pu dépenser autant. « Pourquoi la déclaration de patrimoine [d'Emmanuel Macron] pose question », s'interroge *Le Monde*. « On est en train de nous dire qu'il manque des sous, s'agace l'équipe du candidat. Certains essaient de faire naître l'idée que de l'argent aurait été caché. » Poussé dans ses retranchements, l'entourage se résout à rappeler qu'Emmanuel Macron a dû payer ses créanciers, ses charges, l'impôt sur le revenu, etc. Qu'il a aussi fait des cadeaux. « Et oui », l'ancien banquier « a plus dépensé qu'épargné » dans ses années Rothschild, en l'occurrence des « dépenses personnelles et familiales, pas des tableaux ou des objets de luxe ». Mais un « Smic par jour », comme le présume Florian Philippot (Front national), « c'est faux, ça c'est sûr ! ». Depuis, Emmanuel Macron a plusieurs fois tenté de dégonfler la polémique en refaisant les additions[1]. Mais jusqu'au bout des zones d'ombre ont subsisté, par exemple sur un prêt bancaire contracté en 2011 pour des travaux dans sa maison du Touquet.

En fait, pour mesurer son train de vie exact, il faudrait connaître toutes les sommes déboursées en

1. Arnaud Focraud, « Macron dit ce qu'il a fait de ses trois millions d'euros de revenus », *Le Journal du dimanche*, 17 avril 2017.

impôt sur le revenu – sans doute plusieurs centaines de milliers d'euros pour l'année 2012, par exemple. Voire consulter ses dépenses et celles de son épouse, car les déclarations rendues publiques ne font pas le distinguo entre les biens appartenant à l'un et à l'autre. Or, son équipe a refusé de pousser la transparence au-delà des obligations fixées par la loi. « Si le procès qu'on veut faire à Emmanuel Macron, c'est qu'à trente-cinq ans il a eu le goût de dépenser son argent, il n'y a rien là de répréhensible », réagit Christian Dargnat, le banquier chargé de sa levée de fonds. Il souligne que l'ex-associé de Rothschild « a consenti à s'appauvrir » pour entrer en politique, qu'il a même « payé pour quitter la fonction publique ». Publiée avant la présidentielle, une nouvelle déclaration de patrimoine n'a pas apporté plus de réponses. Certes, la Haute Autorité pour la transparence de la vie publique (HATVP), sollicitée par l'association Anticor, a validé les déclarations de patrimoine d'Emmanuel Macron. Mais les zones d'ombre qui subsistent ont créé de nombreuses interrogations. Le projet de loi moralisant la vie politique examiné cet été au Parlement prévoit d'ailleurs que la HATVP ait à l'avenir le droit d'édicter elle-même un avis sur les déclarations des candidats à la présidentielle. Une toute petite avancée.

II.

L’OPA

« Notre système politique est bloqué. » Il fonctionne selon des « règles obsolètes et claniques ». Le mercredi 16 novembre 2016, après des semaines de faux suspense, Emmanuel Macron déclare sa candidature dans un centre de formation pour apprentis (CFA) de Bobigny : le directeur de la chambre des métiers de Seine-Saint-Denis, Patrick Toulmet, est un ami, délégué national d'En Marche. « J'entends certains qui pensent que notre pays est en déclin, que le pire est à venir, que notre civilisation s'efface, ils proposent le repli, la guerre civile ou les recettes du siècle dernier », commence-t-il. « Dans quelques mois à l'occasion de l'élection présidentielle, une opportunité nous est offerte : refuser enfin le *statu quo* pour nous faire avancer. [...] C'est pourquoi je suis candidat à la présidence de la République car je crois plus que tout que nous pouvons réussir, que la France peut réussir. » Devant une nuée de journalistes, Emmanuel Macron propose une « révolution démocratique profonde », tandis que les jeunes apprentis du CFA sont laissés à bonne distance. Quatre jours avant le premier tour d'une incertaine primaire de la droite dont il a tout à craindre, il se jette enfin dans la bataille.

« La décision de me présenter aux plus hautes charges de la République est le fruit d'une conviction intime et profonde, d'un sens de l'histoire, d'une conscience aiguë des temps qui sont les nôtres. J'ai fait le chemin de la province à Paris, du privé au public. Toutes ces vies, dit-il, m'ont conduit à cet instant. » Emmanuel Macron inscrit sa candidature dans la logique d'un parcours. En 2010 pourtant, lorsque l'associé-gérant de la banque Rothschild, alors âgé de trente-deux ans, se plie à l'exercice convenu de l'entretien pour la revue de Sciences-Po, dont il est l'ancien élève, il a du mal à répondre à la question de savoir où il se voit dans une décennie. « Tout est ouvert, répond-il. Je ne me suis jamais projeté à dix ans[1]. » Le jeune homme réfléchit pourtant déjà à la chose publique. Moins d'un an plus tard, il rédige un article pour la revue *Esprit*, à l'occasion d'un banal dossier sur « les avancées et les reculs démocratiques[2] ». Dans ce texte intitulé « les labyrinthes du politique », on trouve presque toute l'analyse et la conception de la politique qui lui permettront, six ans plus tard, de devenir le plus jeune président que la République ait connu : la décomposition des partis permettant une nouvelle offre politique ; l'inutilité du « programme » (« La notion de programme politique – qui voudrait qu'on décide à un instant les mesures et le travail gouvernemental des années à venir en s'y tenant de manière rigide et sans le rediscuter régulièrement – n'est en effet plus adaptée. ») ; l'accent mis

1. « Je ne suis pas un héritier », revue *Rue Saint-Guillaume*, avril 2010.

2. *Esprit*, mars-avril 2011.

sur la « responsabilité » et la « délibération » ; le rejet du dialogue social tel qu'il s'est construit en France, en raison de la « tradition anarcho-syndicaliste en même temps que l'aversion d'une grande partie du patronat au dialogue social ».

Tout au long de la campagne, la question est revenue en boucle : la pensée de ce jeune homme pressé est-elle structurée, étayée ? Ne s'agit-il pas, au contraire, comme ses meetings ou ses interviews le laissent parfois penser, d'un fatras opportuniste de phrases générales, parfois creuses ou ronflantes, mâtinées d'un vernis de références intellectuelles ? S'il n'existe sans doute pas d'idéologie « macroniste », la définition du macronisme est moins « impossible » que celle du hollandisme : contrairement à son mentor, l'ancien ministre de l'Économie affiche des références, des lectures et des écrits théoriques. Pourtant, l'accès au cerveau du nouveau président de la République, présenté par ses opposants comme une sorte d'espace de *coworking* ouvert à tous vents ou comme une déclinaison rajeunie de celui de Margaret Thatcher, et par ses partisans comme une mécanique de haute précision ultrarapide, voire comme celui d'un philosophe en politique, s'avère bien un dédale, tant l'homme braconne dans des univers éloignés les uns des autres.

1.

Dans la tête d'Emmanuel Macron

Alors qu'Emmanuel Macron trône à l'Élysée en surjouant la partition du monarque républicain, il est assez cocasse de relire aujourd'hui le texte d'*Esprit*, rédigé dans un style un peu ampoulé. Il y écrit notamment : « On ne peut ni ne doit tout attendre d'un homme et 2012 n'apportera pas plus qu'auparavant le démiurge. Loin du pouvoir charismatique et de la crispation césariste de la rencontre entre un homme et son peuple, ce sont les éléments de reconstruction de la responsabilité et de l'action politique qui pourraient être utilement rebâtis. » Un peu plus loin, on lit avec intérêt cet autre passage : « Seule l'idéologie permet de remettre en cause l'entêtement technique, la réification d'états de fait : seul le débat idéologique permet au politique de reposer la question des finalités, c'est-à-dire la question même de sa légitimité et de penser son action au-delà des contraintes factuelles existantes. » L'Emmanuel Macron de 2017 a visiblement oublié ce qu'il écrivait alors. Pendant sa campagne et depuis son élection, il a prôné une présidence verticale et a fait en sorte qu'une seule tête dépasse : la sienne. Quant à son aventure politique, elle est précisément définie par ses proches comme une volonté de désamorcer l'idéologie. Rallié de la première heure et secrétaire général d'En Marche, Richard Ferrand définit ainsi le macronisme comme un « pragmatisme radical ». Certes, l'ancien conseiller de François Hollande n'est pas un disciple de Marx et on ne s'étonnera guère qu'il ne souscrive pas à la fameuse phrase de ce dernier selon laquelle « les philosophes n'ont, jusqu'à présent, fait qu'interpréter le monde de diverses façons, il s'agit désormais de le transformer ». Le communicant Robert Zarader, qui l'a conseillé pendant la campagne, a d'ailleurs ce jugement : « Macron, c'est la revanche de Proudhon sur Marx. Il n'est pas nourri par l'imaginaire de la lutte des classes qui continue d'imprégner le Parti socialiste. Sa culture, c'est une logique d'émancipation de l'individu au sein d'un collectif. » Étrange toutefois qu'Emmanuel Macron affirme croire à l'idéologie tout en lui déniant ce qui, dans ce terme, implique une volonté de modifier le réel pour l'accorder à ses convictions. À moins que ce refus ne soit une ruse : l'application de l'idéologie néolibérale, qui s'est toujours présentée sous les traits de la neutralité axiologique et, justement, du pragmatisme.

Lorsque Mediapart avait rencontré Emmanuel Macron en 2013 pour un article intitulé « L'impossible définition du hollandisme », celui qui était alors secrétaire général adjoint de l'Élysée s'était déjà converti à une pensée qui neutralise l'idéologie : « Quand vous arrivez dans un pays riche, sans contrainte externe, l'idéologie peut conduire à transformer et à donner des preuves de réel assez tôt. Ce n'est pas la situation dans laquelle nous vivons. Aujourd'hui, l'équation est historiquement surdéterminée par la contrainte externe, à la fois financière et européenne, et par la demande sociale. » Notamment, expliquait-il, par « la droitisation de la société », donnée non objective et remise en cause par de nombreux chercheurs en sciences sociales. Autrement dit : la contestation du « cadre » économique, social, culturel, existant est impossible. Il faudrait s'adapter, faire « entrer la France dans le XXIe siècle », lancer « les réformes que nous n'avons pas faites », si possible avec la joie des pionniers et l'entrain des bâtisseurs.

De façon paradoxale, Emmanuel Macron accompagne ce « pragmatisme radical » d'un imaginaire giboyeux. Jankélévitch, Platon, Kant, Hegel, Machiavel, mais aussi Mauriac, Stendhal, Giono, Gide, Hugo, Giraudoux, Flaubert... Les références philosophiques et littéraires citées au détour de ses entretiens ou de son livre, *Révolution*, sont nombreuses et diverses. Rares sont les politiques capables de citer les *Feuillets d'Hypnos*, de René Char, lors d'un meeting devant six mille personnes ou de discuter de la notion de temporalité « dans la pensée de Heidegger, où l'accent est mis sur le futur au travers de l'être-pour-la-mort et du statut donné au souci[1] ». Cette indéniable habileté à manier les concepts et les auteurs est le produit d'un itinéraire de lectures inauguré par Germaine Noguès, sa grand-mère institutrice, prolongé par Brigitte Trogneux, la professeure de lettres du lycée privé de La Providence, à Amiens, qui deviendra sa femme, puis formalisé par des études à Sciences-Po Paris et en classe

1. Dans un autre article d'*Esprit* paru en août 2000.

prépa. À l'exception d'une prédilection pour les philosophes qui pensent le politique, d'une volonté de concilier littérature et théorie, ou encore d'une place importante donnée à l'histoire et aux historiens, le tout dessine une pensée « patchwork ». Emmanuel Macron justifie cette manière d'aller piocher ici ou là comme un moyen de mieux comprendre la grande mutation civilisationnelle en cours. « Je pense que nous vivons un temps de recomposition profonde et radicale, dit-il. Vouloir être enfermé de manière exclusive ne permet pas de faire face aux défis du temps présent[1]. »

Cette pensée ressemble alors à la définition que le nouveau président donne de l'histoire de France : « Un tissu qui change de couleur, qui est parfois rapiécé. » Une « moire » qui ne possède pas de lignes de force exclusives, mais permet tout de même de repérer quelques dominantes et régularités.

La première est le legs du philosophe Paul Ricœur, rencontré par l'intermédiaire de son professeur François Dosse, et qu'il assista pour l'édition de l'ouvrage *La Mémoire, l'Histoire, l'Oubli*[2]. « Je donnais un cours d'historiographie à Sciences-Po, se rappelle François Dosse, auteur d'une biographie du philosophe[3]. Ricœur, qui n'était pas historien, cherchait un étudiant pour aller en bibliothèque, monter l'index, chercher des références. Je lui ai dit que j'avais sous la main un étudiant fort brillant. » Emmanuel Macron s'est certes un peu

1. France Culture, dans l'émission « La fabrique de l'histoire », 9 mars 2017.

2. Paul Ricœur, *La Mémoire, l'Histoire, l'Oubli*, op. cit.

3. François Dosse, *Paul Ricœur, les sens d'une vie*, Paris, La Découverte, 1997.

poussé du col en suggérant qu'il avait « participé à l'accouchement de *La Mémoire, l'Histoire, l'Oubli*, livre qu'il venait de commencer lorsque nous nous sommes rencontrés pour la première fois » et avait été l'assistant du philosophe, un terme qui n'existait déjà plus dans l'université à l'époque. François Dosse, sollicité par Mediapart, assure pourtant avoir été témoin d'une « vraie relation, de plain-pied, quasi filiale », entre le vieil homme et le jeune étudiant, qui fut même invité aux quatre-vingt-dix ans du philosophe en 2003. « Avec Ricœur, il n'était pas un gamin : c'était un partenaire », confirme la philosophe Catherine Goldenstein, qui accompagna Ricœur jusqu'à son décès, en 2005. Emmanuel Macron ne rate pas une occasion de lui rendre hommage. Il juge que Paul Ricœur lui a offert une « culture politique » et « l'a poussé à faire de la politique », notamment grâce à sa réflexion « sur la possibilité de construire une action qui ne soit pas verticale (c'est-à-dire qui ne soit pas prise dans une relation de pouvoir), mais une action qui échappe dans le même temps aux allers-retours permanents de la délibération ». À travers Ricœur, Emmanuel Macron s'inscrit dans l'histoire d'*Esprit*, dont il a été longtemps membre du comité de rédaction, une revue créée par le philosophe Emmanuel Mounier, et dont le courant d'idées, le personnalisme, recherchait, pour le dire vite, une troisième voie entre capitalisme et marxisme.

Le philosophe Olivier Abel, spécialiste de Ricœur, se dit « embarrassé » lorsqu'on le questionne sur la proximité « philosophique » entre le nouveau président, qu'il n'a fait que croiser à l'époque où Ricœur rédigeait son ouvrage, et les usages qu'il fait d'une pensée « ample », dont « diverses lignes d'interprétations valables peuvent être tirées ». Il précise toutefois que « le point de plus grande proximité me semble résumé dans la fameuse formule "et en même temps" : vouloir par exemple en même temps la libération du travail et la protection des plus précaires, cette manière d'introduire une tension soutenable entre deux énoncés apparemment incompatibles, est vraiment très ricœurienne. Je dirai la même chose de l'antimachiavélisme de Macron, son refus de jouer sur les peurs et les ressentiments, ce désir d'orienter de l'intérieur la gouvernance vers le bien commun. Un troisième point que je relève, c'est une conception de la laïcité non pas identitaire mais strictement juridique, libérale, et faisant droit à la condition pluraliste de nos sociétés, des traditions inachevées qui les constituent. Un dernier point serait la priorité accordée à une éthique de la responsabilité, le refus des promesses fallacieuses, une sorte de "sagesse pratique" cherchant sans cesse à intégrer la pensée des conséquences au sens de l'initiative. » Olivier Abel précise toutefois, et aussitôt, que d'autres aspects de la pensée de Ricœur, moins économicistes et pragmatiques, ont peut-être échappé au nouveau président : « La lecture de Ricœur pourrait apporter un contrepoint critique par son refus d'une apothéose du travail : les humains ont aussi besoin de parole, de libre conversation, de refaire cercle autour de toute question, de faire chœur pour s'émerveiller, d'habiter ensemble le monde. Du même mouvement, Ricœur résisterait à l'apothéose des questions économiques qui semblent aujourd'hui, comme dans le marxisme de jadis, la sphère des sphères, la sphère "totale" : il faut penser l'institution de la pluralité des sphères. Enfin, et surtout, il y a chez Ricœur une pensée de l'imagination instituante, ou de l'institution imaginante, qui prend la forme d'un éloge modéré mais résolu de l'utopie, à la fois comme critique de la réalité dominante et exploration du possible, qui fait que le monde n'est pas fini et que la radicale pluralité des formes de vie est désirable. » Or, chez Emmanuel Macron, l'utopie n'existe pas. Pour lui, l'action politique se déploie dans le réel, le présent, le « faisable ». Macron refuse les « promesses qu'on ne peut pas tenir ». Il dit souvent « on ne va pas se mentir ». Il lui arrive de citer cet aphorisme qui douche les audaces : « Y en a qui ont essayé, ils ont eu des problèmes. » La formule, qu'il a faussement attribuée au génial parolier de cinéma Michel Audiard, est en réalité un gimmick des humoristes Chevallier et Laspalès.

Le second legs explicitement revendiqué est celui du libéralisme, toute la question restant de savoir comment Macron investit ce terme. Sur France Culture[1], le nouveau président expliquait à propos de Saint-Simon et des saint-simoniens : « C'est une des filiations que je peux accepter [...], comme j'accepte la filiation avec un libéralisme politique français [...], cette exigence dans le rapport à la liberté politique, aux libertés individuelles, et dans le rapport entre le politique et l'individu, dans laquelle je me retrouve. Et Benjamin Constant. » Ce libéralisme lui fait préférer Danton à Robespierre, « parce que je pense qu'il y a chez Robespierre un rapport de brutalité de l'État et de la

1. Au cours de l'émission « La fabrique de l'histoire », le 9 mars 2017.

chose publique dans le rapport à l'individu, dans lequel je ne me reconnais pas ». Reste à savoir si l'éloge de la « liberté », aussi bien en matière sociétale qu'économique, est, dans le cerveau d'Emmanuel Macron, autre chose que la liberté du renard dans le poulailler. À cet égard, la polémique qui a opposé, par voie de presse interposée, le nouveau président et son ancien professeur de philosophie, le penseur d'origine marxiste Étienne Balibar, est riche d'enseignements. Ce dernier affirme ne pas se souvenir de cet ancien élève et de son mémoire de DEA sur Hegel et Machiavel, effectué à l'université de Nanterre sous sa direction[1]. Questionné par *Le Monde*, Étienne Balibar juge « absolument obscène cette mise en scène de sa "formation philosophique" », apparentée à « de la "com"[2] ». À plusieurs reprises, Emmanuel Macron a évoqué sa dette à l'égard de Balibar, aujourd'hui professeur à Columbia, dont les cours, dit-il, « étaient des exercices philosophiques assez uniques ». Emmanuel Macron, dont un ressort psychologique consiste à tirer une grande satisfaction de l'effet qu'il produit sur ses interlocuteurs, n'en revient pas que le maître l'ait oublié, ou feigne de l'avoir effacé de sa mémoire. « C'est un cas presque psychiatrique, se plaint-il[3]. Je m'étonne qu'il ait oublié le nombre de

1. Contactée par Mediapart, l'université confirme que Emmanuel Macron a bien obtenu un DEA, mais ne peut communiquer le mémoire qu'avec son autorisation. Il n'a pas fait suite à notre demande.

2. Nicolas Truong, « Un intellectuel en politique ? », *Le Monde*, 1er septembre 2016.

3. « Confidences littéraires », propos recueillis par Jérôme Garcin, *L'Obs*, 16 février 2017.

fois où j'allais chez lui, rue Gazan, à Paris, travailler mes textes avec lui. Je trouve aujourd'hui son attitude offensante. »

Derrière cette controverse personnelle se situe le véritable enjeu : celui de l'articulation entre liberté et égalité. Étienne Balibar est en effet le théoricien d'une « égaliberté » en forme de tension entre liberté et égalité, ou, si la liberté conserve une priorité, elle trouve à la fois sa limite et son effectivité dans l'égalité. Cette « égaliberté » serait seule à même de garantir la prise en compte de l'individu, contre tous les totalitarismes, les despotismes de la majorité, mais aussi les tyrannies des minorités dominantes du type oligarchique ou ploutocratique. C'est précisément ici que le nouveau résident de l'Élysée et son ancien maître divergent. La manière dont l'exigence de liberté politique, sociétale et économique qu'affiche constamment Emmanuel Macron s'articule avec une politique égalitaire demeure beaucoup plus floue, pour ne pas dire illisible. Lui qui se dit « contre l'égalitarisme, qui est une promesse intenable[1] » semble souvent se référer à une forme d'égalité des chances et des capacités, en convoquant des penseurs de la justice sociale tels John Rawls, ou l'économiste indien Amartya Sen : ce théoricien des « capabilités » a inspiré une philosophie du développement concentrée sur l'autonomie de la personne humaine, en opposition à une vision marxiste, centrée sur les structures économiques et la satisfaction première des besoins vitaux. Pourtant, cette

1. « Il est urgent de réconcilier les France », *Le 1*, 13 septembre 2016.

insistance sur les libertés et capacités individuelles, consubstantielle au libéralisme tel qu'il s'est construit historiquement, prend mal (ou trop bien) la mesure de la déflagration inégalitaire et des reconfigurations « ultra » du libéralisme, qui ont refaçonné sa définition.

Le politiste Bruno Palier, spécialiste de la protection sociale, est revenu en détail sur la façon dont Emmanuel Macron et son équipe, à commencer par l'économiste Jean Pisani-Ferry, prétendent vouloir importer en France le « modèle scandinave », qui allie flexibilité du marché de l'emploi et protection sociale de haut niveau. Son verdict : le projet macroniste en a peut-être l'apparence, mais n'en possède ni la saveur ni le socle[1]. « Emmanuel Macron, dit-il dans *Le Monde*, a compris la nécessité, pour l'État, de protéger les personnes et d'accompagner les parcours de vie ; il propose de mettre en place une assurance universelle pour tous les chômeurs et toutes les professions ; il entend réformer le système opaque du financement de la formation professionnelle, ce qui serait une avancée importante, car les plus âgés et les moins éduqués y accèdent peu ou pas du tout. Cependant, il ne semble pas avoir saisi que l'un des fondements du modèle, c'est l'égalité – pas seulement l'égalité des chances mais aussi l'égalité des conditions. » C'est sans doute pour cela qu'Emmanuel Macron, qui se tient à bonne distance des auteurs réactionnaires, ne s'aventure que de manière cosmétique sur les rives d'une pensée critique. Lorsqu'il évoque

1. Frédéric Joignot, « Bruno Palier : "Il manque à Macron la logique globale du modèle scandinave, fondée sur l'égalité" », *Le Monde*, 8 avril 2017.

Gilles Deleuze (« La politique et la pensée politique se construisent dans les plis »), c'est uniquement pour en reprendre une « formule ». Quand il cite Pierre Bourdieu, c'est pour tirer le sociologue vers sa conception d'une société française dont le dysfonctionnement majeur serait moins la domination et l'inégalité que le manque de mouvements possibles. « L'élite politique, administrative et économique a développé un corporatisme de classe, analyse-t-il dans *Le 1*, hebdomadaire fondé par son mentor Henry Hermand, le vieil homme d'affaires et mécène de la "deuxième gauche", décédé en pleine campagne présidentielle. Comme l'avait vu Bourdieu, elle l'a ordonnancé par des concours, des modes d'accès, des connivences qu'elle a en son sein et qui empêchent l'accès aux plus hautes responsabilités. Notre société n'est pas la plus inégalitaire, mais elle est l'une des plus immobiles. »

Cette façon de mobiliser des références diverses, voire contradictoires, est typique de la manière de penser d'Emmanuel Macron, où se repère l'agilité dissertative d'un excellent élève, lauréat du concours général de français à dix-sept ans, passé à la fois par les plans en deux parties de Sciences-Po et les argumentations en trois parties des classes préparatoires – il a échoué deux fois à Normale sup, seul accroc du parcours linéaire d'un premier de la classe provincial monté à Paris. Cette pensée khâgneuse et braconnière, qui ne s'embarrasse guère de cohérence, se devine à une manière de répondre aux entretiens de manière parfois brillante, mais donnant souvent l'impression de préférer plaire à ses interlocuteurs infiniment divers plutôt que dessiner une ligne forte. Au point de donner le sentiment de rester en surface, en se contentant de citer des formules et des titres plutôt que d'entrer réellement dans des philosophies concrètes. Sur France Culture[1], il évoque par exemple comme des synonymes *La Défaite de la pensée*, titre d'un essai d'Alain Finkielkraut, et *La Trahison des clercs*, celui d'un opus de 1927 de Julien Benda. Deux livres qui ne disent pas la même chose, ni politiquement ni intellectuellement. Dans *Révolution*, il intitule l'un des chapitres « La grande transformation », sans jamais se référer à l'ouvrage homonyme de Karl Polanyi[2]. Ni s'interroger sur le fait que la grande transformation décrite par l'économiste hongrois est précisément la critique la plus précoce et la plus radicale du « désencastrement » de l'économie permise par le libéralisme, cette construction d'une « société de marché » qui ressemble fort au projet d'Emmanuel Macron.

La pensée khâgneuse se double d'une esthétique de la fiche technique, synthétique et rapide, cet art appris à l'École nationale d'administration (Ena), dont Emmanuel Macron est sorti avec les honneurs en 2004, « dans la botte » d'une promotion Sédar-Senghor dont plusieurs membres, de gauche comme de droite, ont déjà de solides expériences au plus haut niveau de l'État. La pensée de l'inspecteur des finances qui aime à s'exprimer par sigles (CESE, TPEPME, CICE...) s'apparente souvent à la manière de raisonner propre à la haute fonction publique et à la technocratie d'État, aussi véloce que sûre d'elle-même, et qui fait florès parmi les Gracques, dont Emmanuel Macron est très proche. Il avale d'autant

1. Émission « Les Matins », 27 janvier 2017.
2. Karl Polanyi, *La Grande Transformation*, Paris, Gallimard, 1944.

mieux les notes qu'il en a rédigé lui-même des quantités. C'est en abreuvant François Hollande de notes dès 2010 qu'il a chauffé sa place auprès du futur président. Pour constituer son projet, Emmanuel Macron a lui aussi sollicité des notes tous azimuts, façon de repérer les esprits les plus concis, les plus vifs, les plus politiques. Adepte forcené et intempestif des textos, d'échanges WhatsApp et des messages chiffrés sur Telegram, il finit de forger son avis au contact d'un vivier éclectique de patrons, d'intellectuels, de conseillers et de praticiens dont lui seul connaît la cartographie exacte.

Contrairement à son mentor François Hollande, Emmanuel Macron possède une formation littéraire et philosophique qui lui permet de mâtiner cette pensée technocratique de références plus vastes et profondes. Son expérience dans le privé paraît avoir aussi infusé dans sa manière de raisonner, lui permettant de se singulariser au milieu des hauts fonctionnaires de la République. La trace la plus évidente réside dans cette façon de réfléchir en « diagnostic », en « process » et en « solutions ». Une sorte de « pensée McKinsey », du nom d'un des plus fameux cabinets de consulting mondial, spécialiste des restructurations et des plans de « transformation » managériaux. La seconde trace du passage par le privé d'Emmanuel Macron se repère dans la manière de juger et d'agir propre au banquier d'affaires. Elle lui a fait épouser la « grammaire des affaires », une expression dont il raffole, mais lui a aussi donné une mentalité de joueur, de « raider » qui analyse le marché et opère très rapidement, capable de lancer une incroyable « offre publique d'achat » (OPA) sur la politique française, avec des effets de levier (peu de moyens, un gros profit) que n'auraient pas reniés, dans d'autres champs, Vincent Bolloré ou Patrick Drahi. Cette capacité de mobiliser différents registres de compréhension du monde souvent étanches, d'allier des façons de raisonner et d'agir souvent contradictoires, lui a permis de passer maître dans l'art de la « triangulation », un procédé utilisé par Tony Blair en Grande-Bretagne ou par Sarkozy en 2007, qui consiste à faire siennes les références de son adversaire pour les détourner à son profit. Emmanuel Macron butine et il le revendique. « Philosopher signifie alors peut-être savoir s'aventurer dans tous les paysages de la philosophie (que certains voudraient séparer par des gouffres), mais aussi se risquer dans d'autres contrées, étrangères, qui ne sont pas la philosophie et peuvent lui résister », écrit-il déjà en 2000 dans un numéro du *Magazine littéraire* consacré à Ricœur[1].

Dans *L'Obs*, il affirme toutefois que « la fonction présidentielle réclame de l'esthétique et de la transcendance ». Qu'être « candidat à la présidence, c'est avoir un regard et un style ». Cette pensée agile et rapide comme ces références variées dessinent-elles un imaginaire, une esthétique, ou même un « regard » ? Quatre éléments récurrents apparaissent. Grâce à eux, la Formule 1 Macron a pu dépasser tous ses concurrents. Pour autant, ces motifs peuvent laisser sceptiques quant à leur capacité de lui assurer des bases suffisamment solides pour entraîner les Français dans le quinquennat à venir.

1. « Morale, histoire, religion, une philosophie de l'existence », *Le Magazine littéraire*, n° 390, septembre 2000.

Le premier est le « marchisme », entendu à la fois comme ce qui marche et ce qui est en marche. « Chaque mesure a été choisie à l'aune du critère de l'efficacité », explique-t-il en présentant son programme. « Efficacité », « pragmatisme » et « évaluation » : tels sont les piliers du macronisme. « Je suis un maoïste », a osé lancer Emmanuel Macron dans *Le Parisien*. Remarque évidemment ironique : pour le Grand Timonier, dit-il, « un bon programme, c'est ce qui marche ». « Ce qui vole », dit souvent l'ancien ministre, au risque que ce qui vole ne soit que du vent. Quand on lui demande de préciser le fonctionnement des trois mille comités locaux du parti, le secrétaire général d'En Marche Richard Ferrand a d'ailleurs cette phrase limpide : « C'est assez darwinien chez nous : ce qui marche survit. » La suite, non formulée, est évidemment celle-ci : le reste est voué à disparaître.

Le deuxième est « l'enmêmetempstisme », pour lequel il a été moqué mais qu'il revendique, y compris depuis son élection[1] : « Notre vie est toujours "en même temps" [...]. Je pense que la construction d'une action politique contemporaine, c'est la capacité à appréhender le complexe du monde et à ne pas rester dans une forme de réductionnisme qui consisterait à dire choisissez votre camp[2]. » Les exemples sont nombreux dans le trajet d'Emmanuel Macron de cette volonté de tenir ensemble des éléments censés ne pas s'accorder (se définir comme

1. Devant le Congrès de Versailles, le 3 juillet, il dira ne pas vouloir choisir « entre l'ambition et la justice », « faire tout cela en quelque sorte en même temps ».

2. France Culture, dans l'émission « La fabrique de l'histoire », 9 mars 2017.

« et de gauche et de droite » en est l'exemple le plus frappant), si ce n'est dans un mouvement perpétuel, pour ne pas dire de pantin, qui brasserait là encore beaucoup de vent. Le risque est alors élevé que, par des voies différentes de celles de François Hollande (lequel, à force de volonté de synthèse, aboutissait à des compromis absurdes, comme sur le cas de la petite Leonarda, autorisée à rentrer en France mais sans sa famille), Emmanuel Macron néglige le fait que « gouverner, c'est choisir » et ne tombe dans les apories d'un « populisme d'extrême centre[1] ».

Le troisième est le modernisme, puisque Macron a misé beaucoup sur son image de jeunesse et de renouvellement. Ainsi qu'il l'écrit dans *Révolution*, « le véritable clivage aujourd'hui est entre les conservateurs passéistes qui proposent aux Français de revenir à un ordre ancien, et les progressistes réformateurs qui croient que le destin français est d'embrasser la modernité ». En réalité, l'imaginaire est plus complexe que l'image, puisque Emmanuel Macron est à la fois capable de préfacer un livre[2] où il juge qu'il faut « penser et repenser l'action publique dans son ensemble, afin d'adopter une stratégie du changement ambitieuse et réaliste, de faire émerger une véritable culture de l'évaluation », et d'affirmer que « nous avons besoin d'un enracinement historique pour entrer dans la modernité » et qu'« on a toujours une part de tradition et de

1. Romaric Godin, « Emmanuel Macron et la finance, plus qu'un problème personnel », *La Tribune*, 3 mars 2017.

2. Yann Algan et Thomas Cazenave, préface d'Emmanuel Macron, *L'État en mode start-up. Le nouvel âge de l'action publique*, op. cit.

conservatisme. Je préfère parler de tradition, d'ancrage dans un passé, sinon c'est une modernité hors sol. » Cet imaginaire moderniste fera-t-il alors autre chose qu'appliquer les vieilles recettes de la deuxième gauche ou de la troisième voie, qui ont catalysé l'explosion des inégalités en Occident ces dernières années ?

Le dernier axe repérable pourrait se baptiser le « capitalicisme ». Emmanuel Macron ne paraît guère opposé au capitalisme tel qu'il fonctionne. Ministre, il a pu expliquer à la chaîne britannique BBC[1] que le malheur de la France avait été de ne pas faire les réformes nécessaires que la Grande-Bretagne de Thatcher avait effectuées. Candidat, il propose pour relancer l'économie que les ministres des Finances européens établissent les ratios prudentiels qui fixent le niveau de fonds propres pour les banques et les assurances : une vieille demande du secteur financier, en guerre contre les régulations financières imposées après la crise de 2008. Comme Emmanuel Macron s'adapte (trop ?) bien à son public, il peut aussi affirmer, dans la matinale de France Culture, que le capitalisme contemporain financiarisé et numérisé « est en train d'écraser toute forme de valeur sur la valeur monétaire » et déplorer « une forme d'effondrement moral », au point de citer Karl Marx dénonçant le « fétiche » de l'argent. Quel que soit

1. Dans le documentaire « Quelle Catastrophe ! France with Robert Peston », diffusé le 19 mars 2015 sur la chaîne britannique BBC : « Quand vous comparez avec le Royaume-Uni des années 1980, la grande différence est que nous n'avons pas fait les réformes à cette époque. Les Français reconnaissent maintenant que les autres ont décidé de bouger, et nous sommes les seuls à ne pas avoir réformé notre système. »

le moment où il a été sincère, son « capitalicisme » ne signifie pas seulement souscrire au système économique tel qu'il fonctionne et dysfonctionne : il désigne, au-delà, une vision du monde, où l'individu est destiné à maximiser ses différents capitaux (économique, social, voire santé). C'est d'ailleurs en hypercapitaliste cherchant à investir vite et fort sur un marché nouveau qu'Emmanuel Macron est parti à la conquête du pouvoir.

2.

La politique par les algorithmes

Le lancement d'En Marche, à partir du printemps 2016, procède tout entier de cette logique d'investisseur en recherche de rentabilité et de croissance rapide. Le jeune mouvement n'a ni militants, ni adhérents, ni histoire, ni mémoire. Il faut donc bâtir à toute vitesse une structure, un imaginaire, un creuset commun et accumuler des ressources pour mener une campagne présidentielle suivie du second round des législatives. À l'été 2016, tout commence par une opération de mobilisation en forme de sondage géant. Les militants des comités locaux naissants, pour beaucoup des novices, organisent un grand porte-à-porte. But de cette « Grande Marche » : obtenir un « diagnostic » de la France une fois les verbatim recueillis traités par algorithmes. Une grande nouveauté, explique En Marche, qui aurait l'avantage de faire émerger les vraies préoccupations des Français, dégagées du filtre « des sondages, de la technostructure et des appareils partisans qui mènent un combat politique en vase clos ». Le ciblage de zones de prospection représentatives de la population française a été confié à Liegey Muller Pons (LMP), cabinet parisien qui s'est inspiré de la campagne victorieuse de Barack Obama en 2008 pour développer un modèle scientifique de mobilisation électorale. LMP, qui croise données électorales et socio-économiques de l'Insee[1], avait notamment supervisé les opérations de porte-à-porte lors de la campagne de François Hollande. « Un porte-à-porte hors campagne, ce n'est déjà pas classique. Ce devrait pourtant être le prérequis de n'importe quel politique. Quant à l'analyse sémantique des propos recueillis, il n'y avait pas de précédent », explique Guillaume Liegey, pilote de l'opération chez LMP. Un quart des personnes rencontrées lors du porte-à-porte (25 000 sur 100 000) ont accepté de répondre à huit questions, générales et très ouvertes (« Si vous aviez une chose à demander à la politique ? » « Selon vous, qu'est-ce qui marche, en France ? », etc.). Au total, « 1,5 million de mots » ont été recueillis, explique Guillaume Liegey, l'équivalent de *La Recherche du temps perdu,* de Marcel Proust. « Le procédé permet de détecter les signaux faibles de l'opinion. Il rend possibles des interactions plus riches que les enquêtes d'opinion menées au téléphone par les instituts de sondage, où les questions politiques sont en général très cadrées et souvent mélangées, pour des raisons d'économie, à des questions sur le Nutella », précise son associé, Arthur Muller.

Les réponses, enregistrées dans une application créée pour l'occasion, ont ensuite été traitées grâce à des algorithmes, puis classées en trente thématiques par Proxem (pour « procédure sémantique »), une PME spécialisée dans l'analyse de gros volumes de textes.

1. Institut national de la statistique et des études économiques.

Proxem travaille d'habitude avec de grandes entreprises (Air Liquide, Auchan, BNP Paribas, Bouygues, Total ou LCL, pour ne citer qu'elles). Elle épluche les emails envoyés à leurs services clients, les enquêtes internes de satisfaction au travail, ce que la concurrence dit d'eux sur Internet. Elle n'avait jamais travaillé pour des politiques. « On obtient des avis nuancés, explique son PDG, François-Régis Chaumartin. Sur la politique nucléaire par exemple, on voit que les Français sont à la fois fiers de cette industrie et ne sont pas convaincus du point de vue écologique. On observe aussi que le citoyen n'est pas aussi râleur qu'on le dit, qu'il a des solutions. » À l'issue de ce travail coûteux – 187 000 euros pour le seul contrat LMP, selon des documents internes –, En Marche dispose d'une grande base de données dans laquelle il est possible de piocher pour « faire des analyses par type de territoire », explique Arthur Muller. C'est aussi une « base de citations hallucinante, utile pour illustrer un discours avec des exemples concrets », ajoute Guillaume Liegey. Des phrases, des mots, qu'Emmanuel Macron va injecter pendant toute la campagne dans ses propres discours. « Une véritable agora ! » dit-on fièrement chez En Marche.

« Une agora des algorithmes », dégonfle l'essayiste Christian Salmon[1]. « À ces campagnes participatives, il manque l'essentiel, l'assurance d'un langage crédible et d'un lieu commun où l'échanger », écrit-il. « Web activist » proche d'Europe-Écologie–Les Verts, Elliot Lepers juge l'initiative « très parlante ». « L'analyse

1. Christian Salmon, « La planète du discrédit », Mediapart, 10 septembre 2016.

marketing des mots, c'est aller à la rencontre des clients, cibler ses prospects, définir du contenu qui va répondre à la demande, les mêmes ressorts que la publicité, comme lorsque l'on crée un nouveau yaourt. » Il s'amuse de « ce solutionnisme numérique, comme si Internet allait régler tous les problèmes démocratiques ». « Alors que la politique, reprend-il, ce sont des rapports de force et de l'affrontement. Il y a une forme de naïveté qui consiste à penser que l'on va ainsi trouver une synthèse au-delà des clivages partisans. Macron surfe sur l'esprit du Web, mais il prône en fait une politique vidée de tout combat idéologique, de toute substance, de tout projet. » Plus critique encore, Antoinette Rouvroy, philosophe du droit à l'université de Namur (en Belgique), qui réfléchit sur le lien entre les algorithmes et le pouvoir, juge « tout cela assez effrayant ». « On enregistre passivement des opinions qu'on traite avec des algorithmes, avec le moins possible d'intervention humaine. Mais la politique, ce n'est pas entériner un état de fait ! C'est au contraire s'en distinguer, pour le faire bifurquer radicalement. On s'algorithmise nous-mêmes, et la notion même de programme politique disparaît, comme si la réalité, une fois numérisée, allait se gouverner elle-même. Le politicien devient une figure vide, qui a vidé le politique de tout contenu substantiel. Il n'est plus qu'un miroir, un reflet. Tout ça fait un peu novlangue... » L'entourage d'Emmanuel Macron juge la critique forcée. « Demander leur avis aux citoyens, c'est la démocratie ! Et c'est tout le contraire d'une démarche clientéliste. Le marketing permet de savoir ce que les gens veulent, mais il segmente. Nous n'utilisons pas le résultat du questionnaire pour faire des propositions par tranches d'âge ou catégories sociales. Il nous sert à unifier. » Sociologue du numérique[1], Dominique Cardon juge le procédé plus gadget qu'inquiétant. « En réalité, ce travail n'est pas franchement révolutionnaire, dit-il. La masse collectée n'est pas si impressionnante. Cela permet surtout de naviguer dans les réponses sans les lire toutes ! Ce n'est pas idiot, mais c'est surtout un coup de com, très en phase avec le côté "start-up" que Macron entend incarner. » Ou bien une façon sexy et moderne de rhabiller des propositions pas si neuves.

1. Dominique Cardon, *À quoi rêvent les algorithmes*, Paris, Le Seuil, 2015.

3.

Dans les rouages de la « Macron & Cie »

L'organisation du parti elle-même procède de cette recherche obsessionnelle d'efficacité. Au cours de l'année 2016, nombre de concurrents politiques ou d'observateurs ont raillé les adhérents qui s'inscrivent en trois clics sans rien payer, le côté « fan-club », le contenu idéologique inexistant, les spectateurs des meetings qui applaudissent n'importe quand et n'importe quoi. Sans s'apercevoir qu'il s'agit, aussi, d'un phénomène politique inédit : dans l'histoire politique française contemporaine, il n'existe pas d'entreprise politique qui ait réussi en un an à s'emparer du pouvoir exécutif et législatif. Durant cette campagne, Emmanuel Macron a proposé une nouvelle « offre » politique au point de constituer un quasi-monopole. Avec son positionnement anti-« système », « et de gauche et de droite », il « s'est montré réactif au marché, applaudit l'économiste social-libéral Jean-Marc Daniel, professeur à l'ESCP, qui accompagna En Marche à ses débuts. Il a regardé la demande, il répond à cette demande. » La politologue Cécile Alduy, qui étudie le discours des politiques, fait la même analyse, mais son regard est beaucoup plus critique. « Emmanuel Macron, dit-elle[1], nous vend un produit... on ne sait pas encore ce que c'est, c'est Steve Jobs qui va nous révéler l'iPhone du siècle, c'est nouveau, c'est hype, c'est le dernier truc, le dernier cri, ce dont on a besoin. Il a fait des études de marché, il a demandé "vous, qu'est-ce que vous voulez ?" Il fait d'abord une étude de la demande politique et après il offre son produit fini. »

Au sein de la « Macron & Cie », l'ancien ministre est à la fois le patron, l'effigie, le produit. Dans les meetings, les volontaires portent un tee-shirt blanc siglé du logo du mouvement : l'inscription En Marche, écrite de la main du chef. Pour fidéliser et cibler de nouveaux adhérents, En Marche utilise les outils du marketing. Longtemps, le nom de code du programme présidentiel fut « plan de transformation », terme issu des manuels de management. L'entourage d'Emmanuel Macron assume sans difficulté la métaphore entrepreneuriale. Nombre de ses soutiens décrivent En Marche comme une « start-up », « start-up en hypercroissance ». Lui-même n'est pas du tout choqué par la comparaison : « Je suis plutôt quelqu'un qui aime que les choses fonctionnent[2]. » Dès le départ, la référence à la start-up numérique, « souple » et « agile », a été privilégiée. « Ça s'est imposé comme une évidence : l'urgence, c'est de délivrer très vite », assène son porte-parole Benjamin Griveaux, comme s'il parlait d'une chaîne de production. Habituée des allers-retours entre le public et le privé, la garde rapprochée d'Emmanuel Macron pense

1. Dans l'émission « Quotidien », sur TMC, le 19 janvier 2017.
2. Entretien à Lille avec Mediapart, 14 janvier 2017.

« opérationnel », « culture de boîte », « projets », « solutions pour débloquer les verrous ». La culture d'entreprise est partout dans En Marche, du bureau d'Emmanuel Macron au comité local. L'observateur extérieur entend parler à tout bout de champ de « briefs », de « notes de synthèse », de « bonnes pratiques » – une traduction littérale du « best practice » américain. Les bénévoles des meetings sont des « helpers ». Les volontaires sont organisés en « teams ». Les membres du QG parisien « mappent » (planifient), « targetent » (ciblent), « benchmarkent » (comparent), analysent les « outputs » (données utilisables). Ils décrivent En Marche comme une organisation « from scratch » (lancée à partir de rien), pas « top down » (verticale) mais « bottom up » (de bas en haut). Les comités locaux organisent des « challenges » (défis). En privé, Emmanuel Macron lui-même raffole de ces anglicismes qu'il évite soigneusement en public. Le parti ne pourrait exister sans Internet. Tout adhérent peut créer son comité local sur la « plateforme » (le site enmarche.fr) et en changer d'un simple clic – « pour éviter les baronnies locales et les logiques d'appareil », nous dit-on.

Les trois mille six cents comités locaux, quand ils sont actifs (beaucoup ne comptent en réalité qu'un seul membre), organisent chaque semaine des centaines d'« événements » (tractages, réunions publiques, conversations avec les habitants, etc.) La démocratie participative affichée est toutefois très encadrée. « Nous n'allons pas élaborer le programme dans les comités, ce serait mentir que de dire ça, explique Emmanuel Vaussion, animateur local [un "AL" en jargon Macron] du comité En Marche de Montargis-Amilly [Loiret]. Mais nous l'ajustons. Et il est possible de faire des propositions en envoyant des "notes de synthèse". » Les adhérents discutent en « ateliers » à partir des « briefs » préparés par le « QG » puis envoyés aux « AL ». Les thèmes sont les mêmes partout : une semaine l'emploi, une autre l'éducation, la solidarité ou l'écologie. Pas question de laisser la séance virer à l'assemblée générale ou au grand débat : le but explicite est de parvenir au consensus. Les responsables départementaux peuvent supprimer les comités peu actifs – ce qui provoque la fureur de certains adhérents. En cas de demande d'interview par un journaliste, il est conseillé d'avertir le responsable départemental. Des « pôles communication » locaux recommandent aux adhérents de « ne pas communiquer » sur « les rumeurs, la stratégie politique d'En Marche » ou les « ralliements politiques nationaux », pas tous de la première fraîcheur. Les « marcheurs » sont plutôt incités à mettre en avant « le programme », « le visage » des adhérents ou les « opérations terrain ». Les conclusions des comités locaux sont remontées à l'équipe, qui centralise et trie les réponses. À nouveau, une sorte de grand sondage en temps réel, dont les données sont suivies et analysées : les réactions des adhérents, premiers consommateurs politiques du produit proposé, sont surveillées comme le lait sur le feu. Il faut optimiser le taux d'ouverture des courriers électroniques, récupérer de nouvelles adresses, décrypter les attentes des spectateurs des meetings auxquels des « questionnaires de satisfaction » sont envoyés – ils doivent noter l'organisation, les décors, mais aussi les propositions politiques.

Comme dans une entreprise de services, l'« expérience client » est primordiale. « Une des choses qui affaiblit les partis politiques actuels, c'est le manque de professionnalisme de leurs réponses à leurs adhérents, théorise Emmanuel Macron. Les partis sont là pour transformer le réel mais aussi donner une place à chacun, pour animer les gens. Quand ils ne le font pas, c'est très décevant. Donc il faut être très professionnel et très organisé, j'y attache beaucoup d'importance[1]. » Devant les journalistes, il met la pression au point de parler comme un patron de centre d'appels : « Je les embête tout le temps pour les délais de réponse aux emails, être sûr qu'on rappelle tout le monde. » Le mouvement est conçu comme « un centre de ressources pour les adhérents ».

En Marche dit avoir tiré les leçons de campagnes passées, du succès de celle d'Obama en 2008, des ratés du participatif désorganisé de Désirs d'avenir de Ségolène Royal en 2007, des mouvements Podemos et Ciudadanos en Espagne, des échecs de Nouvelle Donne et Nous Citoyens. Mais ce « benchmark » (comparaison) a été agrémenté d'autres apports, très éloignés de la politique telle qu'on la concevait jusqu'ici en France. Ainsi, l'équipe autour d'Emmanuel Macron s'est inspirée de la théorie du « nudge » (« coup de pouce »), un concept d'économie comportementale qu'on appelle aussi « théorie du paternalisme libéral ». Pensé par les économistes Richard Thaler et Cass Sunstein, utilisé en marketing mais aussi dans la sphère publique aux États-Unis par l'administration Obama et au

1. Ibid.

Royaume-Uni par le gouvernement Cameron, il postule que les individus ne font pas que des choix rationnels et qu'on peut les inciter à changer leurs comportements à travers des « incitations douces ». « On a décidé d'abaisser les barrières à l'entrée, pour que l'engagement soit le moins coûteux possible, car c'est l'engagement des gens qui fait la force d'un mouvement construit sur rien en quelques mois. On prête donc une attention de chaque minute à l'expérience-utilisateur. Il ne doit pas y avoir de filtre entre ce qu'on propose à nos adhérents et leurs attentes », nous explique un jour Ismaël Emelien, le conseiller spécial d'Emmanuel Macron.

Comme une entreprise, le QG du XVe arrondissement fonctionne par « pôles » (événementiel, meetings, communication, Web, etc.). Pour aller plus vite, on « internalise les tâches au maximum ». Parmi les adhérents, un vivier de 12 000 personnes, volontaires pour s'impliquer davantage, est suivi par une « cellule RH ». Chacun a des tâches précises. « On a qualifié leurs compétences, leurs motivations, et on les actionne pour ce qu'ils savent faire », dit Ludovic Chaker, chargé de l'organisation, qui cite en exemple le « *crew*[1] de caméramans » chargé de filmer les meetings. La centaine de référents départementaux ont été recrutés sur CV par le « pôle territoires », avant d'être confirmés par Emmanuel Macron et le secrétaire général Richard Ferrand. Critères retenus : être bien implanté localement, connaître les élus, avoir un sens politique et « une culture de parti de gouvernement », précise un membre du QG. Au sein du parti, Emmanuel

1. « L'équipage », en anglais.

Macron veut tout voir, tout gérer : même la taille de son pupitre de meeting, copie de la campagne de François Mitterrand en 1988, celui de la « force tranquille ». Normal : il est la « tête de gondole », nous explique pendant la campagne Christophe Castaner, l'actuel porte-parole du gouvernement. Sénatrice socialiste de Paris et membre du comité politique d'En Marche, Bariza Khiari se rappelle un jour devant nous ses études de marketing. « Le prof nous disait : “pas vu, pas pris, pas vendu”. Là, on a un produit qui s'expose et se vend. » Mais attention, dit-elle, Macron n'est « pas un baril de lessive : la finalité est humaine et politique. Au bout du bout, il s'agit de changer la vie des gens. Vous proposez aux gens du changement, d'être les acteurs de leur propre vie, un peu de rêve, des utopies réalistes. » Elle réfléchit un instant. « Utopie réaliste... je ne sais pas ce que veulent dire ces mots ensemble, mais c'est joli. » En langage commercial, on parlerait d'un « lancement produit » réussi, au-delà des espérances.

4.

Le règne de la communication

La communication de la « Macron & Cie » échappe elle aussi aux standards de la politique. Dans les appareils des partis et les campagnes, d'habitude, il y a bien des communicants et des *spin doctors* de l'ombre, mais les politiciens sont souvent leurs propres VRP... et les premiers à contourner leurs porte-parole. Quand un journaliste cherche une information ou vient simplement aux nouvelles, il y a toujours quelqu'un pour raconter les coulisses, faire passer les anecdotes et les infos qui, souvent, servent les intérêts de celui qui les donnent.

Aux premières loges à l'Élysée, Emmanuel Macron a vu les SMS du président Hollande échangés avec des journalistes, les apartés et les « off » à tout bout de champ, jusqu'au cataclysme du livre *Un président ne devrait pas dire ça*[1], truffé de confidences, de propos personnels et de secrets d'État qui ruinèrent les minces espoirs qu'avait François Hollande de se succéder à lui-même. Candidat, l'ancien secrétaire général adjoint

1. Gérard Davet et Fabrice Lhomme, *Un président ne devrait pas dire ça*, Paris, Stock, 2016.

de l'Élysée a décidé de faire exactement le contraire : tout verrouiller. Dès son lancement, En Marche a organisé sa communication comme le ferait un groupe du CAC 40 : pas très étonnant au vu des CV des uns et des autres. Comme dans un groupe coté en Bourse, seules comptent la parole et l'image du PDG, distillées selon les contextes et les opportunités. Le service de communication se contente de communiqués au cordeau pour éviter tout risque sur le cours de l'action. Les communicants distillent seulement, et sous couvert d'anonymat, quelques confidences très calculées. Quant aux cadres dirigeants, ils n'ont pas vocation à parler, sauf quand le patron l'autorise. Comme chez Saint-Gobain ou à la BNP.

Verrouillée, la communication, avec un tel déluge d'images et d'articles ? La campagne a pu donner le sentiment contraire. En réalité, En Marche a construit habilement une succession de récits autorisés – des « narratifs », disent ses conseillers – que nombre de médias ont répercutés avec une extraordinaire facilité. Parce qu'Emmanuel Macron était la nouveauté, l'élément perturbateur et inattendu de la campagne. Parce que nombre de journalistes détenant des positions de pouvoir dans les rédactions, d'éditorialistes ou de patrons de presse sont plutôt idéologiquement en phase avec lui. Eux aussi prônent à longueur de colonnes, parfois depuis des années, le « bon sens », la nécessité de « faire des réformes » ou appellent de leurs vœux un gouvernement d'« union nationale ». Par ricochet, certains de leurs employés sont parfois amenés à s'autocensurer, comme ce collègue qui avoue un jour qu'à cause de la ligne éditoriale de son journal il ne pourra pas raconter le côté absolument soporifique du meeting auquel il vient d'assister.

Peu avant le premier tour de la présidentielle, un actuel ministre d'Emmanuel Macron touille son café à la terrasse d'un bistrot parisien. Il repasse à toute allure le film des derniers mois. Comment a-t-il jugé le travail des journalistes durant cette campagne ? Le verdict est sévère. « De nombreux médias ont cédé aux *storytelling* qui leur ont été présentés : l'histoire romantique d'Emmanuel Macron, une histoire d'amour entre lui et le peuple français. » Que les médias répercutent chaque jour les récits soigneusement séquencés et prémâchés pour eux était exactement le calcul d'En Marche. Assez banalement, l'équipe a compris que le « Moloch médiatique », dixit Emmanuel Macron lui-même, a besoin d'être alimenté. Le parti a donc fourni une profusion d'images et d'événements clés en main, toujours révélés au dernier moment : afin de créer l'attente des rédactions et maximiser l'effet de surprise, il n'y a jamais d'agenda.

À de nombreuses reprises, la grande affaire du jour est un énième épisode de l'interminable série « Emmanuel Macron affiche de nouveaux ralliements », récit inexorable d'une vague que rien ne peut arrêter (quand bien même nombre de soutiens, gloires fanées ou outsiders de leurs partis, ne représentent plus qu'eux-mêmes) ; un autre jour, l'événement s'appelle « Emmanuel Macron présente sa stratégie pour les législatives » ; il y a aussi « Emmanuel Macron dévoile son QG » ou le toujours très efficace « Emmanuel Macron révèle un petit morceau de son programme ». Les déplacements ont la même utilité : créer des « séquences » successives qui révéleraient sans cesse de nouvelles facettes du candidat, un peu comme la Martine des bandes dessinées. C'est Emmanuel Macron baisant la main du dalaï-lama, dans le bassin minier, recevant John Kerry, chez Theresa May, devant la Chancellerie à Berlin, dans sa « séquence régalienne ». Dans *L'Opinion*, Stéphane Fouks, le communicant de DSK et ancien patron d'Ismaël Emelien chez Havas, valide en pleine campagne la stratégie macronienne de contrôle extrême des images. « Quand vous montrez tout, dit-il, vous abandonnez l'éditorialisation aux médias, qui décident ce qu'ils vont montrer de vous. Vous n'êtes alors plus maître de vous-même. La fonction du marketing est d'aider le client à mettre en valeur ses véritables atouts, à les rendre désirables[1]. »

Bien sûr, ce genre de séquences de communication pure existe aussi dans les campagnes des autres candidats. Mais ce qui frappe, c'est l'aspect systématique de telles mises en scène. Macron, qui s'inspire de la communication présidentielle léchée d'un Barack Obama, prête une grande attention aux instantanés, aux dispositifs, aux symboles. Dans « En marche vers l'Élysée », documentaire diffusé le 11 mai sur France 2, après son élection, il se dit persuadé d'être mal traité par « les médias », mais relativise aussitôt : « Les gens lisent assez peu les médias, ils lisent les titres et regardent les photos. » À ceux qui lui reprochent d'en faire trop, il répond en s'adressant à un contradicteur imaginaire : « C'est du théâtre, de la communication ?... mais, gros balourd, la vie, c'est aussi ça ! » Diffusé

1. *L'Opinion*, 30 mars 2017.

sur TF1 juste après le second tour, le documentaire « Emmanuel Macron, les coulisses d'une victoire », réalisé par Yann L'Hénoret, donne l'impression que les proches du candidat constituent surtout une bande de copains sympathiques et souriants : exactement l'effet recherché par une équipe dont tous les membres maîtrisent parfaitement les codes de la communication. Dix jours avant le premier tour, à Bagnères-de-Bigorre, la terre de son enfance, Emmanuel Macron pose avec son épouse, Brigitte, sur un télésiège et pousse le chant des montagnards. « C'était ridicule », peste une journaliste de télé à son hôtel le lendemain matin. Pourtant, les images ont été diffusées partout. Y compris sur sa chaîne à elle.

La presse people multiplie les couvertures avec sa femme, Brigitte Trogneux : leur couple suscite une grande curiosité et fait vendre du papier. Emmanuel Macron accepte de mettre en scène sa vie privée dès qu'il le peut, une rareté parmi le personnel politique français. Il ne faut rater aucune occasion de se faire connaître ! Les intrusions de la presse people dans leur vie privée sont toutefois minutieusement calibrées : les « paparazzades » sont autorisées et, bien vite, la gestion de l'image du couple est gérée par Bestimage, l'agence de Michèle Marchand, la plus grande experte ès photos volées de la place de Paris. En septembre 2016, après une nouvelle couverture de *Paris Match* où on voit le couple Macron croiser un homme nu sur la plage, le communicant Sylvain Fort nous jure la main sur le cœur que les unes de vie privée, cela n'existera plus. « Maintenant, c'est "non" systématiquement et ça le restera sur tous les types de support, assure-t-il à

Mediapart. Emmanuel Macron déteste ça. Il veut faire passer des idées, il refuse tout ce qui amollit, dilue ou trivialise la parole politique. » La promesse sera vite oubliée. Le rythme des unes, souvent hagiographiques, va reprendre de plus belle. La stratégie est efficace. Le « produit » Macron est ainsi décliné sur plusieurs segments de marché : les journaux sérieux, la télé, les magazines people, les réseaux sociaux.

En réalité, son équipe de campagne caresse un rêve : en dehors des images et des événements autorisés que les médias sont invités à relayer, elle souhaite contourner ceux-ci autant que possible. Eux aussi, juge Emmanuel Macron, sont plongés dans le « système » qu'il prétend dénoncer. L'objectif est de « désintermédier » la relation avec les adhérents et, au-delà, l'opinion, nous explique un jour le conseiller spécial Ismaël Emelien. « Il faut supprimer les filtres de vision, de communication car Emmanuel Macron est perçu pour ce qu'il n'est pas », dit-il. Le personnage principal (sa jeunesse, sa nouveauté, son envie de « bouger les lignes ») doit être le premier argument de vente. « En 2008 aux États-Unis, le programme d'Obama, c'était le candidat lui-même ! » souligne le porte-parole Benjamin Griveaux. Lors de sa première convention, organisée le 8 juillet 2017, après la présidentielle, « La République en marche », nouveau nom d'En Marche, a annoncé son intention de « se constituer comme un média » et de se passer des relais d'information traditionnels.

En attendant de se débarrasser des médias, les communicants de la « Macron & Cie » s'attellent à désamorcer tous les départs de feu qui pourraient nuire à leur candidat. De façon souvent très active. Méfiante, sans cesse aux aguets, l'équipe ne livre aucune confidence, même anodine, à des journalistes, et surtout pas pour évoquer les sujets de cuisine interne ou les frictions d'ego. Rien ne doit embrouiller la perception ou faire tache sur l'image parfaite vendue aux rédactions. Les communicants répondent par ailleurs de façon très aléatoire aux sollicitations, un manque d'empressement toujours mis, lorsqu'il est justifié, sur le compte du rythme effréné de la campagne. Autre précepte : on ne communique que sur les sujets ou les thèmes qui ont été « disclosés » (« révélés » en anglais), autrement dit ceux pour lesquels la direction de campagne a donné le feu vert. Les « éléments de langage » sont si méthodiquement calibrés qu'il est parfois difficile de caser dans les articles les réponses officielles d'En Marche, tellement lénifiantes et langue de bois ! En cas d'alerte ou de risque de « bad buzz », les communicants activent en revanche « le mode panique » : ils rappellent, harcèlent les journalistes, exigent des corrections. Il peut aussi leur arriver de « blacklister » certains médias. Parfois, on surprend les communicants d'En Marche en flagrant délit de mensonge. En janvier 2017, le porte-parole Benjamin Griveaux nous affirme ainsi la main sur le cœur qu'En Marche « n'a pas assez de fric pour commander les sondages » : les Macron Leaks révèlent au contraire un usage intensif et fort coûteux des enquêtes d'opinion. Malgré les multiples remparts érigés par les communicants, il arrive tout de même que les digues craquent. Il a beau être un adepte du contrôle absolu, Emmanuel Macron fait assez régulièrement ce genre de gaffes qui peuvent apparaître comme des moments de vérité dans une parole maîtrisée et calibrée. En visite à Lunel, dans l'Hérault, en mai 2016, il lance à un ouvrier un condescendant : « Vous n'allez pas me faire peur avec votre tee-shirt. La meilleure façon de se payer un costard, c'est de travailler. » Une fois président, en visite au centre régional de surveillance et de sauvetage atlantique d'Étel, dans le Morbihan, il provoque un tollé en s'amusant sur le sort des kwassa-kwassa, ces embarcations de fortune qui transportent dans des conditions souvent tragiques les migrants des Comores qui cherchent à gagner l'île française de Mayotte, dans l'océan Indien. Au sommet du G20 en juillet 2017, il se permet une phrase sur ces « pays » africains « qui ont encore sept à huit enfants par femme ». Sa déclaration provoque un grand émoi... en tout cas à l'étranger ! « En dépit de sa jeunesse et de sa vitalité, le nouveau président s'en tient à une ligne très ancienne quand il s'agit de la position française en Afrique », commente dans le quotidien britannique *The Guardian* l'essayiste Eliza Anyangwe[1]. Emmanuel Macron, dit-elle, lui rappelle le Nicolas Sarkozy du discours de Dakar, dans lequel l'ex-président de la République avait déploré que « l'homme africain [ne soit] pas assez entré dans l'histoire ».

1. Eliza Anyangwe, « Brand new Macron, same old colonialism », *The Guardian*, 11 juillet 2017.

5.

Les nouveaux convertis au macronisme

Artifices et grosses ficelles de communication n'ont pas empêché de nombreux Français d'« accrocher » au discours et à la personne du *golden boy* Macron. Même dans les petites villes, il intrigue et déplace les foules. Avec ceux de Jean-Luc Mélenchon, le leader de la France insoumise, ses meetings sont les plus courus de la campagne. Pendant des semaines, nous avons longuement interrogé des dizaines de spectateurs pour comprendre cette attraction. À Lille, à Strasbourg, au Mans, à Nevers, nous leur avons simplement demandé « pourquoi ? », et « qu'est-ce que vous lui trouvez ? ». Les réponses laissent entrevoir une adhésion sincère au personnage, à ses promesses de « renouvellement » politique ou de « bouger les lignes ». Elles montrent aussi que beaucoup de convertis ont choisi Emmanuel Macron par défaut. Ils voulaient « enfin voter pour », rejeter l'extrême droite et François Fillon, s'éviter un second tour entre les deux.

Le 14 janvier 2017, au Zénith de Lille (Nord). Sous un escalier du Zénith, un cri de guerre retentit. « On va gagner ! » C'est la « team ambiance » qui s'échauffe. Dans deux heures, ces filles et ces garçons, tous très jeunes, lanceront des « Macron président ! » avant que leur candidat n'entre en scène. Les dizaines de « helpers » organisent l'accueil des invités et préparent les formulaires de don. Devant une pancarte du célèbre hypnotiseur Messmer, une grande bannière blanche fait la pub de *Révolution*, le livre du candidat. Il est 14 heures, « il » doit parler deux à trois heures après et, à l'extérieur, la file s'étire déjà : ceux qui n'ont pas réservé leur place en ligne tentent de négocier un strapontin. Les portes sont encore fermées, mais ça s'agite dans tous les sens. Chacun a une tâche précise. Planté au milieu du passage avec sa compagne, Jean-Claude, salarié d'un grand opérateur téléphonique, semble un peu intimidé. Aujourd'hui, c'est sa grande première de militant. Il a « toujours aimé la politique, mais pas de façon engagée ». Il était « plutôt Parti socialiste », mais c'était « avant les chicaneries internes, les flous artistiques réglés sur la place publique ». Jean-Claude a « peur du deuxième tour prévu entre Fillon et Le Pen ». Il vient d'adhérer. On lui a dit de passer avant le meeting, pour aider au cas où. Il n'a rien eu à faire : il y a assez de bras. À 17 heures, Emmanuel Macron prend la parole devant quatre mille personnes. Rihanna et Kavinsky, comme en boîte, les tee-shirts acidulés, les pancartes et les drapeaux offerts aux spectateurs à l'entrée : la fête en kit, avec des tubes dignes des soirées étudiantes.

À Strasbourg, début octobre 2016, on a croisé une autre convertie, Catherine Gasq : elle a une coiffure rock'n'roll et son mari paie l'impôt sur la fortune. Catherine cherche en catastrophe un hôtel pour la nuit et s'amuse de se retrouver en galère. Cette sage-femme parisienne a fait le déplacement pour écouter celui qui

« a réveillé » ses « neurones ». Une semaine plus tard, on la retrouvera, toujours aussi accro, dans la file d'attente du meeting du Mans. Catherine a voté Hollande en 2012, elle vient d'une famille très proche du Parti socialiste, où l'un de ses oncles a même été député. Là, elle veut « tourner la page ». « J'en ai assez de voter contre, marre des politiciens qui en font une profession. » Elle apprécie que Macron cherche à « rassembler sur des idées et pas des étiquettes ». « Le personnage ne me fascine pas, dit-elle, d'ailleurs, je n'arrive pas à le cerner. Mais je vote pour une idée, pour un concept : son côté civil. » Autrement dit : il paraît neuf, et n'a pas besoin de la politique pour vivre. Croisée à Strasbourg aussi, Geneviève Humbert, qui « gère des contrats dans une entreprise privée », dit la même chose. « Il n'est pas du sérail et n'a pas vécu aux crochets du système. À force de ne plus savoir pour qui on va voter, quand on entend un peu de renouveau et d'énergie, on a besoin de s'y raccrocher. » Plus enthousiaste, Valérie Alsat, cheffe d'entreprise au Mans, couvre son mur Facebook de messages « macronolâtres » diversement appréciés par ses amis. Elle a voté « Mitterrand en 1981, Sarkozy en 2007 ». « Je suis transgenre et j'aime bien les gens différents, dit-elle. Macron n'a pas beaucoup d'expérience, mais il est extrêmement brillant. »

Un vendredi soir à Nevers, le 6 janvier 2017, Emmanuel Macron fait sa rentrée après les fêtes de fin d'année. Une heure avant, dans le froid glacial, des dizaines de personnes ont fait la queue devant dans la Maison de la culture en espérant une place. Ça pousse, ça râle, on dirait un matin de soldes. Plus de mille personnes se pressent dans l'auditorium. Adhérent d'En Marche,

Pascal Morel, retraité « de la logistique », s'extasie. « On est dans le fief à Tonton et à Bérégovoy et je n'avais jamais vu autant de monde à un meeting. » En avance, l'élue municipale Florence Vard, professeure dans un lycée catholique, salue « sa nouveauté, son dynamisme, ses idées ». Figure de la droite locale et « candidate à toutes les élections pendant trente ans », Isabel Gaudin est l'ancienne directrice de la radio catholique RCF. Cette « vieille gaulliste » a voté pour Alain Juppé à la primaire de la droite et hésite alors (l'affaire Fillon n'a pas encore éclaté) « entre Macron et Fillon ». Elle n'a que des compliments à adresser à l'ancien ministre de trente-neuf ans : « Macron connaît l'économie, il a une culture philosophique, une dialectique appropriée, un sens de la communication et de l'argumentation. Il sait s'adresser aux gens calmement. On dirait un héros de Stendhal au XXIe siècle. » Un autre Neversois, Stéphane Monteiro, jeune visiteur médical au chômage, voit en lui le « Kennedy français ». Emmanuel Macron a le don de faire tomber en pâmoison.

Qu'on soit à Strasbourg en octobre, à Caen en mars ou à Arras tout à la fin de la campagne, costards-cravates et chaussures vernies d'une journée au bureau côtoient les tenues plus décontractées. Le public est en général plutôt urbain, classes moyennes supérieures et CSP + : la sociologie du mouvement. Il y a toujours beaucoup de curieux, qui viennent pour voir l'attraction, se faire leur opinion : ils repartent parfois en tordant la bouche. Chaque réunion publique attire en tout cas les notables, qui se pressent. À Strasbourg, on le fait saluer l'ancien président de la chambre des experts-comptables, un très vieux monsieur qui l'encourage. Au Mans, Michel, retraité de La Poste et franc-maçon, veste pied-de-poule et cravate sur son tee-shirt En Marche, reconnaît dans l'assistance le patron du Leclerc et un ancien dirigeant du club de foot reconverti dans les affaires. À Lille, Macron fait applaudir Jacky Lebrun, dirigeant de la chambre de commerce et d'industrie de Picardie rencontré lorsqu'il était stagiaire de l'Ena à la préfecture de l'Oise. À Nevers, Isabel Gaudin scanne la salle et distingue « toute la bonne bourgeoisie de Nevers qui vote à droite ». Dans les meetings, on croise aussi des gens plus modestes, comme Franck Nicolas, chauffeur routier de Besançon, rencontré à Strasbourg. Il est « au chômage, le dos foutu ». Il est surtout un très ancien électeur de gauche. « Ce gars-là, il m'a raccroché à la politique, ça faisait quinze ans que je ne votais pas. La politique française, je pensais qu'il fallait tout détruire, il m'a prouvé le contraire. » Il aime la façon dont Emmanuel Macron « est structuré, limite mécanique. D'habitude, tu prends un politique, tu le mets en tête d'affiche et tu lui colles un programme. Lui, on comprend son cheminement. Quand il parle, on voit qu'il est dans le vrai. »

Les « adhérents » d'En Marche sont souvent « intéressés par la politique », explique Emmanuel Constantin, jeune haut fonctionnaire en costume et référent du mouvement dans le Loiret, rencontré au meeting de Nevers. « Ils sont de gauche ou de droite, les trois quarts n'ont jamais fait de politique. » Comme lui, « affectivement de gauche » mais qui n'avait pas jusqu'ici « une âme de militant ». Dans les réunions publiques, ils vibrent quand Emmanuel Macron, le « bon sens » incarné, appelle au « rassemblement des bonnes volontés » et promet la fin des « chicayas », de la

« comédie humaine des petits jeux » et des « postures » qui empêchent de « faire entrer la France dans ce siècle nouveau ». Emmanuel Macron parle d'« émancipation » des individus, cible le Front national et fait applaudir l'Europe, célèbre les patrons qui prennent des risques, veut réduire « l'incontinence normative », donner la possibilité de toucher le chômage après une démission et supprimer le RSI honni par nombre d'indépendants : cette dernière proposition fait toujours un carton. Sa « révolution » esquisse un projet très libéral ? C'est exactement ce que ce public lui demande. Il faut « rendre un peu plus souples les choses, libéraliser le travail, rendre possible le droit à l'échec pour ceux qui entreprennent », souffle Stéphane Monteiro, le visiteur médical de Nevers, qui a toujours voté à gauche. « S'il est élu, c'est clair que tout ne sera pas tout rose », dit Catherine Priez, assistante de direction retraitée qui vit « dans un hameau » de la Nièvre.

Organisateur en mars 2017 d'une visite d'Emmanuel Macron aux Mureaux, dans les Yvelines, l'humoriste Yassine Belattar a ce verdict : « Macron, c'est un candidat Subway », allusion aux sandwicheries de la multinationale où l'on choisit son pain, la garniture et la sauce qui va avec. « Thon, olive, poulet. Macron, c'est ça : un peu centriste, un peu de gauche et très libéral sur certains trucs. » Dans ses meetings, Emmanuel Macron lance à la foule : « Nous sommes des rêveurs. » Il s'adresse pourtant aux réalistes, qui peuvent être « culturellement » de gauche pour la justice et la solidarité mais pas du tout en phase avec Jean-Luc Mélenchon, Benoît Hamon ou Arnaud Montebourg. Comme Valérie Alsat, la patronne transgenre croisée au Mans, qui veut surtout de l'efficacité économique et une « écologie rationnelle » ne bazardant pas le nucléaire. Emmanuel Macron séduit des électeurs de centre gauche comme les nostalgiques de Dominique Strauss-Kahn ou les anciens de Désirs d'avenir, ces « ségogols » moqués par les caciques du Parti socialiste qui constituaient la base militante de Ségolène Royal en 2007. Il intéresse des centristes, la droite européenne et libérale et des « Manif pour tous » repentis. Il plaît aux jeunes, en tout cas à certains, pas les plus modestes ni les plus déconnectés de la politique, qui ont envie de s'engager et sont moins attachés à un camp que leurs parents. À Strasbourg, avant le meeting, on a rencontré Quentin Hellec, vingt et un ans, tee-shirt En Marche sur le dos. Étudiant en économie, enfant de la classe moyenne (père ingénieur, mère infirmière scolaire), il se dit « de gauche » – pour « le social, le respect et la tolérance » – mais juge le Parti socialiste « enfermé dans des questions pas toujours pertinentes » et tance les « écolos bobos ». On a aussi rencontré Samuel Boggio, dix-neuf ans, en première année de Sciences politiques à Strasbourg, dont le compte Twitter est orné d'une photo de Raymond Barre. « Ça fait des années qu'on nous bassine avec l'insécurité, mais l'économie, le numérique, l'innovation, c'est plus important, dit-il. Ce qui m'a plu chez lui, c'est l'Europe, son idée que le système bipartisan est dépassé. » « Plus à droite » sur les questions économiques que ses parents, il s'écharpe avec son père, qui, lui, tient au code du travail. Socialement, il est libéral : « pour la gestation pour autrui, pour le droit de porter le voile ». Emmanuel

Macron est le réceptacle d'attentes parfois contradictoires. À Nevers, la professeure Florence Vard a bien résumé la situation : « Va-t-il retourner sa veste comme beaucoup d'autres ? Il est tout neuf, on ne peut pas savoir. »

6.

L'attrape-tout

La nouveauté d'Emmanuel Macron a beau être un atout, elle a toutefois son revers : un je-ne-sais-quoi d'artificiel qui transpire dans les meetings, où Emmanuel Macron lit des discours souvent interminables et mal écrits avec un ton de prêcheur. Pour ceux qui n'ont pas l'habitude de l'écouter, c'est toujours une découverte. Le 1er mai, tandis qu'il lit à Bercy son grand discours d'entre-deux-tours, un journaliste allemand éclate de rire : « C'est un curé, non ? » Cette gêne, partagée par les éléments les plus « politiques » de son équipe, n'est pas une simple question de forme, de voix mal placée ou de fins de phrases qui s'abîment. Elle traduit en réalité l'étroite « ligne de crête » sur laquelle Emmanuel Macron navigue. Lorsqu'il critique « le candidat-chimère, la chimère telle que décrite par Homère : un lion devant, un dragon derrière, une chèvre au milieu », le candidat socialiste Benoît Hamon tape plutôt juste. Pour s'arrimer au centre de l'élection présidentielle et lancer la grande « recomposition » qu'il appelle de ses vœux, Emmanuel Macron cherche à embrasser des imaginaires politiques différents qui cohabitent assez mal. Au risque de grands écarts intenables qui n'aident pas à distinguer une colonne vertébrale.

À l'été 2016, Emmanuel Macron est encore ministre d'un gouvernement à majorité socialiste lorsqu'il se met en scène au Puy du Fou, le spectacle son et lumière vendéen fondé par l'ultraconservateur Philippe de Villiers, avant de rencontrer deux prêtres proches de la Manif pour tous et de s'afficher sur Twitter avec le dalaï-lama. Le 14 janvier 2017 à Lille, il rend à la fois hommage au ministre du Front populaire Roger Salengro[1], à Martine Aubry, au président de la région, Xavier Bertrand, et au maire de Valenciennes, Jean-Louis Borloo. Le 4 février à Lyon, dans un grand meeting aux allures de convention américaine, Emmanuel Macron accapare de grands moments de l'histoire pour valider sa démarche de « large rassemblement » : la loi sur la laïcité de 1905 ; la défense de Dreyfus – « il a fallu l'énergie et le talent d'Émile Zola et de Charles Péguy » ; la France Libre – « des communistes, des chrétiens, des francs-maçons, des conservateurs, qu'importe, parce qu'ils avaient le même projet, la France ! » ; la loi Veil sur l'avortement – « Il a fallu une majorité de droite et de gauche pour pouvoir la voter » ; les « grands discours de François Mitterrand » ; le « discours de Chirac au Vél'd'Hiv », etc. Avant ce meeting, il a claqué la bise à l'ancienne patronne des Miss France, Geneviève de Fontenay, qui défilait quelques mois auparavant avec

1. Roger Salengro (1890-1936), député SFIO du Nord et maire de Lille, était ministre de l'Intérieur du premier gouvernement du Front populaire lorsqu'il s'est donné la mort, à la suite d'une campagne calomnieuse de la presse d'extrême droite, ulcérée par sa loi de dissolution des ligues, votée en juin 1936.

les opposants au mariage des couples de même sexe. Dans la capitale des Gaules, où il compte de nombreux aficionados, Emmanuel Macron salue la politique d'accueil des réfugiés en Allemagne mais dit aussi que « la liberté, c'est d'abord la sécurité », formule éculée que l'extrême droite contribua à populariser dans les années 1980. Il se réfère à Zola comme au souverainiste de droite Philippe Séguin, qui ne partageait en rien ses convictions proeuropéennes. À Reims, mi-mars, à Besançon, un mois plus tard, Emmanuel Macron, soucieux de lancer quelques œillades à sa gauche, fait des allusions appuyées aux Insoumis et se présente même comme le candidat de l'« indignation véritable ». Pourtant, au sommet de son panthéon personnel, c'est bien le général de Gaulle qui trône. Très souvent cité dans ses discours, celui qu'il appelle « le Général », comme s'il l'avait lui-même côtoyé, lui sert à tout : il justifie le ni gauche-ni droite, « droitise » le candidat de la droite François Fillon et son projet de majorité pénale à seize ans (« même si on mesure 1,85 m, on est encore ce que le général de Gaulle appelait "un être en devenir" »), lui permet de fustiger les racines maurrassiennes de l'extrême droite. Parfois, Emmanuel Macron en parle au contraire comme d'un vieux bibelot sur l'étagère de l'histoire de France : « Le général de Gaulle ne faisait pas souvent référence à Mac-Mahon pour construire sa politique. Eh bien, c'est à peu près aussi intempestif aujourd'hui de se réclamer d'une politique purement gaullienne. Le monde a changé, il n'est plus le même[1]. »

1. Une fois élu, il prononcera devant le Congrès de Versailles, le 3 juillet, un discours du même acabit : un fatras référentiel.

Plus gênant, Emmanuel Macron pilote sa campagne en donnant de grands coups de barre au gré des circonstances et des événements. Au début de sa campagne, alors qu'il cherche à se démarquer de François Hollande et Manuel Valls, empêtrés dans l'affaire de la déchéance de nationalité et la loi travail, il semble s'aventurer sur un terrain libéral-libéral à la Justin Trudeau, le Premier ministre canadien, censé le distinguer des raideurs autoritaires du pouvoir. Une fois qu'éclate l'affaire François Fillon, il chasse au contraire les voix sur sa droite en dégainant la « tolérance zéro » en matière sécuritaire (un concept forgé par le faucon Rudolph Giuliani, ex-maire de New York et soutien de Donald Trump). Entre les deux tours, il « triangule » pour affaiblir son adversaire Marine Le Pen en empruntant des mots de l'extrême droite, comme l'« anti-France », ou les « sans-grade », formule de Jean-Marie Le Pen en 2002. Tout en revendiquant à chaque instant son « patriotisme ».

Au fil des semaines, les soutiens politiques qui se déclarent un à un sont à l'image de ce grand fourre-tout conceptuel. Ils sont de gauche, de droite, un peu des deux, vaguement connus et souvent sortis du chloroforme ou des arrière-salles de la vie politique, ce qui

---

Emmanuel Macron cite « la société de confiance » pour s'annexer Alain Peyrefitte et, au-delà, Max Weber ou Tocqueville, appuie sur la touche « République contractuelle » pour annexer Rousseau via Edgar Faure, actionne « le principe d'effectivité » pour boucler la boucle en terminant par Simone Weil, devant un Congrès qui vient de rendre hommage à Simone Veil, l'ancienne ministre de Valéry Giscard d'Estaing, décédée quelques jours plus tôt et promise au Panthéon !

dément l'image de « renouvellement » qu'Emmanuel Macron prétend incarner. Il rallie un zoo bizarre de personnalités : à droite, entre autres, l'ancien ministre ultralibéral Alain Madelin, ancien dirigeant d'Occident grandi à l'extrême droite, Marie-Anne Montchamp, Dominique Perben, Jean-Louis Debré, Pierre Méhaignerie, Dominique de Villepin ou Jean-Paul Delevoye, chargé de diriger la commission d'investiture du parti en vue des législatives ; au centre, l'eurodéputée Modem Sylvie Goulard, Corinne Lepage ou Jean-Marie Cavada ; à gauche, l'ancien numéro un du Parti communiste français Robert Hue, Daniel Cohn-Bendit, Bertrand Delanoë, le ministre de la Défense Jean-Yves Le Drian, nombre de proches de François Hollande comme les avocats Dominique Villemot et Jean-Pierre Mignard, compagnon de route de longue date depuis les clubs Témoin, ou encore Jean-Jacques Augier, le trésorier de sa campagne, qui transmet au mouvement ses notes sur les comptes de 2012 et contacte l'un de ses anciens collaborateurs pour évaluer les imprimeurs possibles et leurs coûts ; des radicaux comme le sénateur Jacques Mézard, des socialistes comme les sénateurs François Patriat, Jean-Pierre Masseret ou Gérard Collomb, maire et président de la métropole de Lyon, incarnation du baron du Parti socialiste qui a bataillé contre la loi sur le cumul des mandats et s'insurge contre les sanctions financières pour les absentéistes au Palais du Luxembourg. À Marseille, au lendemain de sa déclaration de candidature, il s'affiche avec de très proches de l'ancien président du conseil général, le sénateur Jean-Noël Guérini, mis en examen dans plusieurs affaires. En déplacement dans la région Hauts-de-

France, Emmanuel Macron se montre avec l'ancien maire socialiste de Béthune Jacques Mellick, condamné en 1997 pour faux témoignage dans l'affaire VA-OM. Il reçoit pendant la campagne le soutien du député radical de Corse Paul Giacobbi, condamné – sanction rare pour un élu, dont il a fait appel – à trois ans de prison ferme et cinq ans d'inéligibilité, et mis en examen depuis dans une autre affaire de détournement de fonds supposé. Guère tenu à distance, le même Paul Giaccobi sera d'ailleurs convié à l'Élysée le jour de l'investiture, et salué comme il se doit par le nouveau président de la République. À En Marche, on jure que ce monde-là n'est pas représentatif de la diversité du mouvement ni de sa jeunesse. Mais la politique reste la politique et, face aux deux grands partis, il faut bien structurer le mouvement en faisant appel aux élus locaux influents. Emmanuel Macron, cynique, s'en moque : il a une présidentielle à gagner, pourquoi commencer à écarter les bonnes volontés ? Il aura tout loisir, ensuite, de se débarrasser d'eux.

« Ce qui fait le succès d'une stratégie, c'est la victoire à la fin », a coutume de dire le conseiller Ismaël Emelien. Le 27 novembre 2016, l'équipe d'Emmanuel Macron gagne le droit de poursuivre l'aventure. Ce soir-là, Alain Juppé est sèchement battu à la primaire de la droite par l'ancien Premier ministre François Fillon, qui campe sur une ligne très à droite, soutenu par les militants opposés à l'égalité des droits des homosexuels de Sens commun. Les « Macron Boys » soufflent : même s'ils avaient déjà affûté les éléments de langage rappelant son âge avancé et sa condamnation à quatorze mois de prison avec sursis et un an d'inéligibilité dans l'affaire des emplois fictifs de la Ville de Paris, une victoire de l'ex-Premier ministre de Jacques Chirac aurait sans doute asphyxié leur poulain. Le 1er décembre, c'est au tour de François Hollande, le mentor d'Emmanuel Macron, de renoncer à se présenter : une première pour un président en exercice. « Je suis conscient des risques que ferait courir une démarche, la mienne, qui ne rassemblerait pas largement autour d'elle », dit François Hollande, président fantôme fragilisé par un ultime mano a mano psychologique orchestré par son Premier ministre Manuel Valls. Deux mois plus tard, le même Manuel Valls est sèchement battu par Benoît Hamon lors de la primaire socialiste. Emmanuel Macron peut à nouveau se frotter les mains d'avoir boudé les primaires, ces « courses de vélo, dit-il, où le but est de se neutraliser ». Le paysage de la présidentielle se précise : à gauche, Jean-Luc Mélenchon et Benoît Hamon, bientôt soutenu par l'écologiste Yannick Jadot, dont la campagne ne démarrera jamais vraiment ; à droite toute, François Fillon, vite rattrapé par la révélation dans *Le Canard enchaîné* de l'emploi supposé fictif de son épouse à l'Assemblée nationale. De rebondissement en rebondissement, François Fillon perd son statut de favori de la présidentielle, tandis que Marine Le Pen est toujours solidement installée en tête des intentions de vote au premier tour. Dans l'équipe d'Emmanuel Macron, on commence à se frotter les mains en pariant, sans le crier trop fort, sur un duel jugé imperdable face au Front national au second tour.

C'est pourtant à ce moment-là, vers le début février, que la machine va commencer à s'enrayer. Les habiletés tactiques et rhétoriques ne suffisent plus. Emmanuel

Macron a beau parler d'« union nationale », il n'a toujours pas de programme. À mesure que la présidentielle approche, le voilà de plus en plus contraint de se dévoiler. Ce qui est souvent contradictoire avec le fait de contenter tout le monde.

Le premier impact a lieu le 14 février : Emmanuel Macron est en visite à Alger. Dans un entretien accordé à la télévision Echorouk News, il parle de la colonisation française comme d'un « crime contre l'humanité ». La formule est discutée, mais elle n'a rien de faux du point de vue de l'histoire du droit. Elle déclenche pourtant des réactions épidermiques à droite et à l'extrême droite. Et elle trouble au-delà, dans un pays qui n'a toujours pas soldé son passé de puissance coloniale. Sur les forums Facebook des animateurs locaux, nombre d'adhérents ne comprennent pas quelle mouche a piqué leur idole. « Cette détestation de notre histoire, cette repentance permanente est indigne d'un candidat à la présidence de la République », attaque François Fillon, oubliant qu'il qualifiait lui-même la colonisation d'« abomination » dans *Le Quotidien de la Réunion* cinq jours plus tôt. Marine Le Pen, elle, dénonce un « crime contre son propre pays ». En meeting le week-end suivant à Toulon, Emmanuel Macron demande « pardon » (« Pardon pour les passionnés, pardon de vous avoir fait mal, ce n'est pas ce que je voulais ») et reprend curieusement le « Je vous ai compris » lancé aux pieds-noirs par le général de Gaulle en juin 1958 à Alger. Dehors, des militants du Front national du Var tentent de perturber la manifestation. Une énorme polémique, beaucoup de bruit négatif pour une simple phrase : exactement ce que lui et ses communicants abhorrent.

La même semaine, l'ancien ministre de l'Économie s'attaque pourtant à une autre controverse française. Dans un entretien accordé à *L'Obs*[1], ce partisan du mariage des couples de même sexe déplore que la France opposée à la loi ait été « humiliée ». La Manif pour tous « humiliée », alors que ses leaders et les soutiens du mouvement se sont livrés pendant de longs mois à un festival d'homophobie ? Sur les réseaux sociaux, certains supporteurs s'étranglent. Sur Facebook, un membre de son équipe, Pacôme Rupin, futur député de Paris, lui-même gay, dit avoir été « désagréablement surpris ». En pleine polémique, Macron lance alors des signaux contraires, sur sa gauche cette fois, en déplorant la « discrimination » dont sont victimes les couples de lesbiennes, qui ne sont toujours pas autorisées à accéder à la procréation médicalement assistée (PMA). « La communauté homosexuelle trouvera toujours auprès de moi un défenseur », doit-il préciser un peu plus tard dans une tribune publiée elle aussi par *L'Obs*. Cabotage à gauche et à droite au fil des opportunités politiques ? Manœuvres pour grignoter des voix ? Clientélisme électoral ? En privé et sous couvert d'anonymat, un très proche conseiller juge la séquence catastrophique : « Tout ça n'était pas prévu. Cela donne l'idée soit qu'il triangule dans tous les sens, soit qu'il est un amateur de première. Et ça pose la question de sa capacité à gouverner, donc ce n'est pas bon. » Quelques jours plus tard, tandis que l'affaire Fillon continue à prendre de l'ampleur, Emmanuel Macron dévoile ses propositions en matière de sécurité dans *Le Figaro*. Le

1. « Confidences littéraires », *L'Obs*, op. cit.

cocktail se révèle plus corsé que les dix mille postes de policiers et la police de proximité promis jusqu'ici. Outre la « tolérance zéro », aussi appliquée aux « violences policières » (une façon de rebondir sur le viol du jeune Théo par une brigade de policiers, à Aulnay-sous-Bois), il tourne le dos à la politique d'alternative à la prison menée par Christiane Taubira. Il se prononce aussi contre le récépissé pour les contrôles au faciès et la dépénalisation du cannabis, mesure à laquelle il était pourtant favorable dans son livre *Révolution*, paru en décembre. À bien y regarder, sa position revient en fait à dépénaliser sans le dire, en instaurant une amende de 100 euros qui risque de n'avoir aucun effet sur le trafic lui-même. Une simple « gestion de flux » selon plusieurs chercheurs, policiers et magistrats interrogés par Mediapart. « Si c'est bien fait, cela va désengorger la justice, mais cela n'impactera pas les trafics. La disparition de la peine de prison peut même les faire augmenter », avance David Weinberger, chercheur à l'Institut national des hautes études de la sécurité et de la justice (INHESJ). Puisque Emmanuel Macron touille les symboles et les concepts, plus personne ne sait où il habite. Même pas lui-même, qui ne progresse plus dans les enquêtes d'opinion. Devant les journalistes, ses proches font toujours bonne figure. Cette fois, ils admettent un « faux plat ».

Emmanuel Macron ne s'en sortira pas tout seul. L'homme qui va lui sauver la mise s'appelle François Bayrou. Celui-là même que ses conseillers ont inlassablement dépeint au cours des mois précédents comme un has been aigri et jaloux. Pendant des mois, le président du Modem, déjà trois fois candidat à la présidentielle, l'a traité d'« hologramme ». Le 22 février, le maire de Pau convoque la presse au siège du parti. Parmi ses proches, beaucoup pensent qu'il repart pour une dernière bataille. « Je veux vous dire à quel point la gravité de la situation m'a frappé. Jamais dans les cinquante dernières années la démocratie en France n'a connu une situation aussi décomposée », commence-t-il. Face à la menace d'une extrême droite forte, avec une gauche écartelée et un candidat de la droite embourbé dans les affaires, François Bayrou craint la « dispersion des candidatures qui pouvait aggraver les périls » car « un peuple qui ne croit plus à sa vie publique est un peuple en danger ». Il annonce enfin : « J'ai décidé de faire à Emmanuel Macron une offre d'alliance. » Une offre assortie de quatre conditions : garantir « une véritable alternance des pratiques et des orientations » ; s'engager à ce que « le programme présidentiel comporte une loi de moralisation de la vie publique » qu'il entend prendre en charge ; décider que « la France résistera à la pente qui cherche à réduire le prix du travail », de quoi refréner les ardeurs libérales d'Emmanuel Macron ; engager l'instauration de la proportionnelle pour que les deux tiers des citoyens ne soient pas privés de représentation ». Il se pose en partenaire, pas en rallié : « Je pense très important qu'il y ait alliance et non pas confusion. » Son « sacrifice », dit-il, est l'expression d'un sens de l'intérêt supérieur, car « la multiplication des propositions politiques crée pour les citoyens un brouillage absolu, et que ce brouillage fabrique des rapports de force qui seront difficiles à renverser ». En réalité, François Bayrou est convaincu que la percée initiale d'Emmanuel Macron est moins due à ses propres talents qu'à un malaise profond des Français, déçus par le gouvernement, choqués par le programme et le scandale Fillon, angoissés pour certains par la montée du Front national, sans illusion sur Jean-Luc Mélenchon ou carrément braqués par son discours. Au-delà de l'addition arithmétique des forces potentielles, Emmanuel Macron à 20 % ou moins, lui à 5 % ou plus, son pari est que les Français lui accordent une certaine constance, une honnêteté, une expérience, et que ces qualités pourraient fournir une cohérence à ce jeune homme qui n'en a pas beaucoup. Bingo.

Au QG d'En Marche, des salariés poussent des cris de joie. « On le voit dans les enquêtes d'opinion : François Bayrou présidentialise et il a une bonne cote sur la probité, c'est son premier "item" de référence », se félicite Christophe Castaner. Autrement dit : c'est un sacré bon coup. Jusqu'à la présidentielle, le maire de Pau va lui prodiguer conseils et soutiens, jouer l'attaché de presse sur les plateaux télé et même comparer Emmanuel Macron à son héros Henri IV. Entre ces deux ego surdimensionnés, qui, paraît-il, ont appris à se connaître et à s'apprécier, c'est une improbable love story de printemps.

7.

L'orthodoxe radical

À sept semaines de la présidentielle, Emmanuel Macron est prêt à présenter son programme. Enfin ! Ce passage obligé, il a cru pouvoir s'en dispenser. Il disait partout que cela ne serait pas utile. Que, s'il fallait bien sûr plancher sur une dizaine de propositions clés, le plus important serait surtout de présenter une « vision » aux Français. Ses proches ont longtemps moqué les « catalogues » de mesures que personne ne lit, comme l'épais classeur distribué aux rédactions par Bruno Le Maire, alors candidat à la primaire de la droite (résultat : 2,4 %). L'absence de programme précis était surtout très pratique pour ne rien figer dans le marbre et continuer à caboter entre gauche et droite en fonction des sondages. De guerre lasse, Macron a dû s'y résoudre en déplorant évidemment les figures imposées par les médias presse et leurs attentes « vintage ». En réalité, il est contraint et forcé : deux mois avant la présidentielle, son équipe a découvert dans une étude très confidentielle commandée à l'Ifop[1] que 70 % des personnes interrogées ne connaissent pas la moindre de ses propositions.

1. L'Institut français d'opinion publique.

À l'heure de dévoiler son projet, le 2 mars, sur les Champs-Élysées, Emmanuel Macron emploie les grands mots : « l'esprit de conquête français », « transformation radicale », « alternance vraie ». Le programme présenté ce jour-là est sans surprise libéral. Dans son livre *Révolution*, Emmanuel Macron accepte volontiers le qualificatif, « si par libéralisme on entend confiance en l'homme ». En pratique, il promet de profonds réaménagements du modèle social hérité de l'après-guerre, puisés dans le catalogue des réformes réclamées par les instances européennes et les institutions internationales. Ainsi, le code du travail sera en grande partie négocié dans les branches ou les entreprises « par accord majoritaire ou référendum d'entreprise » : une rupture totale d'avec le système existant autant qu'un élargissement substantiel de la hiérarchie inversée des normes inaugurée par la loi El Khomri. L'ancien ministre de l'Économie propose un « système d'indemnisation du chômage universel ». Encore un bouleversement des règles existantes : tous les travailleurs, entrepreneurs et indépendants compris, seraient indemnisés et la démission ouvrirait tous les cinq ans des droits au chômage. La formation professionnelle serait développée avec une enveloppe de 15 milliards d'euros. « En contrepartie, l'insuffisance des efforts de recherche d'emploi ou le refus d'offres raisonnables entraîneront la suspension des allocations. » Autre « transformation » substantielle : une grande réforme des retraites, systémique, « progressive et transpartisane », précédée d'un « temps de concertation long ». « Nous irons vers un système universel de retraite où, pour chacun, un euro cotisé donnera les mêmes droits à la retraite », explique Emmanuel Macron, qui assure ne pas vouloir « modifier l'âge de départ à la retraite ». Il s'agit aussi de fusionner les trente-sept régimes de retraite existants, dont les fameux régimes spéciaux (SNCF, EDF, etc.). « Les Français à la retraite ne verront aucun changement. Ceux qui prendront la retraite dans les cinq années à venir non plus. » Pour les autres, pas de précision.

Il annonce ainsi un « grand plan d'investissement » de 50 milliards d'euros sur l'ensemble du quinquennat et dément tout ultralibéralisme. « L'avenir de la France, ce ne sont pas les réformes britanniques des années quatre-vingt », jure-t-il, après avoir dit le contraire deux ans plus tôt[1]. Pour ses réformes, notamment « les plus dures », Emmanuel Macron entend « construire un consensus démocratique ». « La loi travail, comme les mesures de réforme de la Sécurité sociale en 1995 n'avaient pas fait l'objet d'une présentation pédagogique », explique-t-il. Lui « assume » avant l'élection, tout comme il assume la suppression de 120 000 postes de fonctionnaires. Pour réduire le coût du travail, le candidat propose une extension du crédit impôt compétitivité emploi (CICE), dont il a été l'un des inventeurs lorsqu'il était secrétaire général adjoint de l'Élysée. Il veut baisser l'impôt sur les sociétés, réformer l'impôt sur la fortune en exonérant les revenus du capital, créer un prélèvement unique et allégé sur les actions et les titres : des mesures très avantageuses pour les gros détenteurs de capital. L'Observatoire français des conjonctures économiques (OFCE) sort sa calculette :

1. « Quelle Catastrophe ! France with Robert Peston », op. cit.

le grand gagnant des mesures fiscales annoncées sera le « dernier décile » des ménages, autrement dit les 10 % les plus riches, qui capteront à eux seuls près de la moitié des gains. Selon les économistes de l'OFCE, c'est même principalement le dernier centile, les 280 000 ménages qui constituent le 1 % des ménages les plus aisés, qui seront les plus gros bénéficiaires. De quoi rappeler le fameux « bouclier fiscal » de Nicolas Sarkozy en 2007 et la douteuse théorie néolibérale du « ruissellement », prônée par Reagan et Thatcher, selon laquelle l'accroissement de la fortune des plus riches a des effets bénéfiques sur l'économie globale.

En matière européenne, l'ancien secrétaire général adjoint de l'Élysée, qui connaît comme sa poche la Chancellerie allemande et la « bulle » bruxelloise, refuse tout net la rhétorique de la « confrontation » avec Berlin, prônée par Jean-Luc Mélenchon ou Arnaud Montebourg : « pure *bull shit*[1] », dit-il en janvier à l'université Humboldt, à Berlin[2]. « Ce n'est pas la table qu'il faut renverser, c'est le cours de l'Europe », écrit Macron dans son programme. Avant de parler relance de l'investissement côté allemand, il veut une France qui donne des gages pour restaurer « la crédibilité française et le socle de confiance franco-allemand ». « Je ne vais pas dire aux Allemands qu'il faut faire de l'investissement et leur donner des leçons », ajoute-t-il le 16 mars 2017 dans l'auditorium lambrissé de la Hertie School, une école d'administration où enseigne le coordinateur

1. « N'importe quoi » en anglais.

2. Démentant ce qu'il disait le 2 novembre 2016 sur le plateau de Mediapart !

de son programme, Jean Pisani-Ferry. « Beaucoup de Français l'ont fait depuis la France. J'explique que nous devons d'abord nous réformer [...]. Nous avons perdu la confiance quand la France n'a pas fait les réformes alors qu'elle s'était engagée à les faire, et nous courons après cette histoire depuis quinze ans. » Emmanuel Macron plaide pour un budget commun de la zone euro avec un ministre des Finances dédié, souhaite que les États organisent de grandes conventions démocratiques qui aboutiraient à une nouvelle feuille de route européenne, propose que quelques États décidant d'aller plus loin ensemble se donnent « dix ans pour créer la convergence fiscale, sociale et énergétique ». Dans la campagne, il est aussi le candidat le plus favorable au très contesté traité de libre-échange avec le Canada (Ceta). « Macron, comme le Guépard, veut que tout change pour que rien ne change, critique Isabelle Thomas, eurodéputée socialiste chargée avec l'économiste Thomas Piketty du projet européen du candidat socialiste Benoît Hamon. Il ne change pas la règle des 3 % de déficit, n'évoque même pas la possibilité de sortir les dépenses d'investissement ou de défense du calcul, ne dit rien sur la mutualisation des dettes. C'est "business as usual", le candidat "mainstream" par excellence : une résignation. » Jean-Luc Mélenchon juge qu'Emmanuel Macron « répète purement et simplement les consignes de la Commission européenne, parfois à la lettre et au mot près ». En un mot, dit-il, « il se fiche du monde ».

À ces « réformes structurelles », le candidat d'En Marche ajoute des propositions ponctuelles. Certaines sont destinées à augmenter le pouvoir d'achat comme la suppression de la « taxe d'habitation pour 80 % des Français » qui la paient. Avec la réduction des cotisations chômage et maladie payées par les salariés, indépendants et fonctionnaires, il annonce « près de 500 euros supplémentaires net par an pour un salaire de 2 200 euros ». La mesure sera compensée par une hausse de la Contribution sociale généralisée (CSG). La prime d'activité sera augmentée de 100 euros par mois pour inciter à la reprise d'un travail. Emmanuel Macron propose aussi de réinstaurer en partie le dispositif des heures supplémentaires créé par Nicolas Sarkozy et supprimé par la majorité socialiste en 2012.

Dans le projet distribué à la presse, il y a aussi les inévitables « gadgets » de campagne, comme l'interdiction des portables dans les écoles et les collèges ou la promesse au doigt mouillé de « diviser par deux le nombre de jours de pollution atmosphérique ».

Sur le plan politique, Emmanuel Macron s'accommode des institutions présidentialistes. Il annonce même qu'il réunira le Congrès à Versailles tous les ans pour présenter son « bilan national et européen ». Deux jours avant son élection, sur le plateau de Mediapart, il promet pourtant un nouvel « alliage politique », « avec nos institutions de la Ve République ». Il jure qu'il ne sera pas le président d'une « majorité disciplinaire » et appelle de ses vœux un « Parlement rénové », avec « un vrai contrôle parlementaire », « un vrai travail d'évaluation », des commissions d'enquête parlementaires « dès que le sujet de la souveraineté nationale est en cause ». Il confirme l'instauration d'une dose de proportionnelle avec la réduction d'un tiers du nombre de députés et de sénateurs, proposition qui pourrait être soumise à référendum en cas de blocage au Parlement. Sa « grande loi de moralisation de la vie publique » annoncée depuis l'alliance avec François Bayrou comprend une limitation des conflits d'intérêts, l'interdiction des emplois familiaux pour les ministres et les parlementaires, la limitation du cumul dans le temps (pas plus de trois mandats successifs), l'interdiction des détenteurs d'un casier judiciaire de se présenter à une élection. Mais quelques semaines avant la présidentielle, il annonce aussi que sa grande réforme du code du travail sera faite par ordonnances, donc à discrétion de l'exécutif une fois votée par le Parlement une loi d'habilitation ; une vieille marotte de la droite, qui figurait dans le projet du très conservateur Jean-François Copé à la primaire de Les Républicains ! « Les ordonnances, je n'ai pas compris. On n'en a besoin ni pour parler à la droite ni pour parler à la gauche », s'étonne alors Christophe Castaner. Comme beaucoup d'autres, il a appris la nouvelle en ouvrant le journal. Aujourd'hui porte-parole du gouvernement, le voilà chargé de les défendre.

Abordé dans un premier temps avec une certaine ouverture, le programme sociétal s'est beaucoup recentré au fil des mois de campagne : Emmanuel Macron a compris que l'espace politique gagnant serait au centre droit. Au début de la campagne, il assume une laïcité moins autoritaire, moins « revancharde » et plus inclusive que la laïcité maximaliste prônée par Manuel Valls. Il se montre critique sur la déchéance de nationalité – le débat a trop duré et ce n'est pas une « solution concrète », dit-il – et célèbre la façon dont l'Allemagne d'Angela Merkel a accueilli les réfugiés.

Au Mans, en octobre 2016, il se livre aussi à un vibrant plaidoyer contre l'état d'urgence. « La prolongation sans fin de l'état d'urgence [décrété et renouvelé par le gouvernement auquel il a participé] pose des questions, et des questions légitimes. Nous ne pouvons pas vivre en permanence dans un état d'exception. » Il juge alors l'« arsenal législatif applicable au terrorisme » suffisant (autrement dit, pas besoin d'une nouvelle loi). Il prône des moyens accrus pour les services de renseignement et appelle de ses vœux un rétablissement de la « police de proximité », créée par le gouvernement Jospin et supprimée par la droite. Mais, au fur et à mesure de la campagne, d'autres sujets jusqu'ici laissés sans réponse se voient évacués. Exit le droit de vote des étrangers aux élections locales, promesse du Parti socialiste que les gouvernements de François Hollande ont laissé végéter. « C'est une promesse qu'on fait depuis 1981, je ne la ferai pas. » Exit, aussi, le récépissé pour lutter contre les contrôles aux faciès. « J'y suis favorable », dit-il le 2 novembre sur le plateau de Mediapart. « Je ne crois pas du tout à l'efficacité de la mesure », explique-t-il sur le même fauteuil six mois plus tard. Rallié à Emmanuel Macron, l'adjoint au maire de Paris Mao Peninou, ancien responsable des adhésions au Parti socialiste, avoue ses craintes avant le premier tour. « Avec les quartiers, dit-il, il y a quelque chose qui ne s'est pas noué. » En mettant en avant son credo entrepreneurial, un positionnement qui colle bien avec sa volonté de ratisser des électeurs à droite, Emmanuel Macron a jeté par-dessus bord des mesures anti-discrimination que les associations ou les élus de gauche prônent depuis longtemps. Ses soutiens expliquent pourtant que leur champion est bien vu dans les quartiers populaires. « Sa jeunesse suscite de la curiosité, son passé de banquier est bien vu », dit Alexandre Aidara, le référent du parti macroniste en Seine-Saint-Denis. « On nous dit : il a réussi, c'est une sorte de *golden boy*, c'est ça qu'on veut », poursuit cet ancien conseiller de Christiane Taubira, centralien et énarque. L'ancien banquier et ministre de l'Économie aborde les quartiers populaires en priorité par le versant des parcours individuels et de la réussite. Il propose de doubler les budgets de la rénovation urbaine ; de recréer les emplois francs (une prime de 15 000 euros sur trois ans pour une embauche dans l'un des quartiers prioritaires de la politique de la ville, dispositif expérimenté puis abandonné par François Hollande) ; de réduire à douze le nombre d'élèves par classe en CP et en CE1 dans les réseaux d'éducation prioritaire ; de généraliser le testing pour lutter contre les discriminations. Il pointe les « assignations à résidence », parle d'« émancipation », dit assumer « la discrimination positive », mot toujours polémique en France. Début novembre 2016, il défend à Mediapart le modèle précaire des VTC, les voitures de transport avec chauffeur. « Allez à Stains expliquer aux jeunes qui font Uber de manière volontaire qu'il vaut mieux aller tenir les murs ou dealer ! » « Bonjour la perspective… », lui répond Benoît Hamon, alors candidat à la primaire socialiste. « Il y a une chose que le Parti socialiste n'a pas comprise : les gens n'ont pas envie d'être assistés », renchérit Saïd Hammouche, proche d'Emmanuel Macron et fondateur de Mozaïk RH, association de l'économie solidaire qui met en relation recruteurs et jeunes diplômés des quartiers.

Le prisme économique finit pourtant par éclipser toute autre lecture. Au fil des mois, Emmanuel Macron critique ainsi de plus en plus fort le « multiculturalisme », y compris dans un entretien accordé au site réactionnaire Causeur, et ne rate pas une occasion de parler des « cafés interdits aux femmes », référence à un PMU de Sevran (Seine-Saint-Denis) épinglé par un reportage de France 2 qui n'a en réalité jamais été interdit aux femmes[1]. Emmanuel Macron a tellement intégré la prétendue « droitisation » de la société et les théories de l'« insécurité culturelle », formalisée par le politologue proche de Manuel Valls Laurent Bouvet, qu'il évite de s'aventurer sur des terrains qui pourraient l'amener à clarifier ses positions, voire à prendre des risques. Peu de temps avant le premier tour, En Marche débranche ainsi en quelques heures Mohamed Saou, son référent départemental du Val-d'Oise, le seul d'origine maghrébine. La cause de cette éviction ? Ce professeur d'histoire-géographie de trente et un ans, chargé de cours à l'université de Saint-Denis, a été mis en cause sur Facebook par Céline Pina, essayiste dont l'un des faits d'armes est d'avoir par le passé comparé le voile musulman à un « brassard nazi ». Sur la foi des posts de Mohamed Saou sur les réseaux sociaux, Pina l'accuse, entre autres, de « n'être pas Charlie et [de] ne l'avoir jamais été », mais aussi d'être « islamisto-servile ». Le message est très vite relayé sur les réseaux sociaux,

1. Nassira El Moaddem, « Bar PMU de Sevran : la contre-enquête du Bondy Blog », bondyblog.fr, 10 mars 2017.

« fachosphère » en tête. Mohamed Saou contacte le QG d'En Marche, persuadé qu'il sera soutenu. Il espère même un communiqué dans lequel le parti lui signifierait sa sympathie. En fait de soutien, la direction de campagne, par l'intermédiaire du futur secrétaire d'État Julien Denormandie, demande très vite à Mohamed Saou de se mettre en retrait. « On m'a dit que la décision était totalement injuste, mais qu'ils ne voulaient pas d'emmerdes. Ils m'ont dit : "Tu te mets en retrait quelque temps, et après tu reviens" », témoigne Saou. En Marche confirme et assume : « Nous avons demandé à Mohamed Saou de se déporter par solidarité avec le mouvement. Céline Pina a de très gros relais et une capacité de nuisance dans une certaine gauche, à droite, à l'extrême droite. À deux semaines de la présidentielle, dans une campagne où tout est bon pour salir notre candidat, nous ne pouvions pas nous payer le luxe d'une polémique secondaire. » Le propos a le mérite de la franchise. Mais il prouve aussi l'aspect vertical du parti et la fébrilité de l'équipe Macron, prête à désavouer l'un de ses référents départementaux à la moindre étincelle médiatique. Le parti s'empresse d'ajouter que cette demande de retrait « n'est pas une sanction ». Sur Twitter, l'élue Les Républicains Aurore Bergé, soutien d'Emmanuel Macron et future députée du parti, donne pourtant une explication divergente lorsqu'elle affirme que « ceci n'était pas compatible avec les valeurs d'En Marche ». Comprenne qui pourra. Peu importe aussi que Mohamed Saou conteste les propos de Céline Pina, destinés, dit-il, à le salir. « Tous ces écrits qui me sont reprochés défendent des valeurs de démocratie, de liberté, d'égalité et de fraternité », ajoute-t-il. « La communication de crise du mouvement est ridicule, dit Mohamed Saou, abasourdi et déçu. Ils ont donné trop d'importance à cette dame, qui m'a diffamé et jeté mon nom en pâture. » « On dirait que ça ne les dérange pas de se mettre à dos l'électorat des banlieues qui pouvait voir dans Macron un renouveau, s'inquiète-t-il. Ils donnent l'impression de faire comme le Parti socialiste depuis trente ans : tu fais tout le travail, on te dit que tu es le meilleur, mais quand le boulot est terminé, à la moindre polémique, on se désolidarise de toi. » « Nous ne sommes pas le projet du multiculturalisme, parce qu'il nourrit le communautarisme, parce qu'il nourrit, dans la République, des ghettos ! » insiste Emmanuel Macron à Reims le 17 mars. Voilà prévenus ceux qui s'échinent encore à voir en lui un Justin Trudeau français.

8.

À l'assaut de l'Élysée

Avant le premier tour, Emmanuel Macron consacre toute son énergie à réduire le score de François Fillon pour le devancer au premier tour de la présidentielle. Pas d'autre solution que grignoter son « socle électoral » (encore une expression de sondeurs), qui résiste malgré les affaires. Depuis des mois, l'ancien ministre de l'Économie rêve d'un duel contre Marine Le Pen. Un match, pense-t-il, simple, limpide, dont les enjeux tiennent en quelques oppositions : « ouverture » contre « fermeture », « monde d'hier » et « monde de demain », « mouvement » contre « repli », etc. Lors du premier débat télévisé de la présidentielle, le 20 mars sur TF 1, Emmanuel Macron s'échine à enfoncer le candidat de la droite tout en ciblant prioritairement celle qu'il nomme désormais l'« héritière ». Lorsque Marine Le Pen l'accuse d'être « pour » le burkini, Emmanuel Macron rétorque qu'il n'a « pas besoin de ventriloque » et l'accuse de « ment[ir] aux Français ». Elle relance sur le « pantouflage des hauts fonctionnaires devenus banquiers » ? Il crie à la « diffamation ». Lancé dans une grande opération de braconnage sur le terrain des électeurs de droite, il dénonce aussi les aspects les plus conservateurs du programme économique de François Fillon, qui se moque de son projet « un peu de gauche, un peu de droite ». Mais il évite cette fois-ci de fustiger la « droite réactionnaire ». Pas question d'user de mots trop définitifs envers un électorat dont il aura besoin.

Le 17 avril à Bercy, pour son dernier grand meeting, Emmanuel Macron se présente comme le seul choix possible. « Sur dix candidats, dix veulent nous ramener vers un fantasme du passé, des frontières qui se ferment. Pour certains [Jean-Luc Mélenchon n'est pas cité], ce sera Cuba sans le soleil ou le Venezuela sans le pétrole. D'autres voudraient nous enfermer dans un choix simple : Madame Thatcher [François Fillon] ou Trostky, Fidel Castro ou Maurras [Marine Le Pen]. Toutes ces compromissions, ces reculs en arrière, ces chimères, ces dérives, nous n'en voulons pas. » À l'entendre, il est le candidat de l'« avenir », d'une France « ouverte, confiante et conquérante ». Il vise, sans le nommer, François Fillon et la façon dont il a érigé « le déni de vérité en principe systématique de communication ». Il fait valoir la nécessité d'un président qui incarne une « autorité morale ». Sur la grande scène cruciforme, Emmanuel Macron, flanqué de deux prompteurs discrets, dit vouloir incarner « le surgissement, l'accession aux responsabilités d'une génération nouvelle », après les « reconstructeurs » de la Libération puis les soixante-huitards, dont il cite les héros (Bob Dylan, Lech Walesa, Vaclav Havel, mais aussi Mendès France, Mitterrand et Rocard). Emmanuel Macron blâme même « la loi du plus fort d'une mondialisation ultralibérale », lui qui répugne d'habitude à utiliser ce vocabulaire. Il cite Albert Camus : « Chaque génération sans doute se croit vouée à refaire le monde. La tâche de la nôtre est peut-être plus grande, elle consiste à empêcher que le monde ne se défasse », tout en oubliant d'ailleurs un morceau de la citation : « La mienne sait pourtant qu'elle ne le refera pas. »

Six jours plus tard, les journalistes ont été invités à suivre le premier tour dans un hangar d'exposition de la porte de Versailles. Le dispositif de sécurité est impressionnant. Dans les haut-parleurs, Rihanna, encore elle, s'époumone. Des lumières violettes balaient le grand hall loué pour l'occasion. Dès 19 heures, les premières estimations circulent. « On est confiants », dit déjà Nicolas, un consultant et militant du huppé XVIe arrondissement, qui a passé les derniers jours de la campagne à convertir les fillonistes des beaux quartiers. Des « on va gagner ! » fusent bien avant l'annonce des résultats. À 20 heures, les silhouettes d'Emmanuel Macron et de Marine Le Pen s'affichent sur les écrans géants. 24 % pour l'un, 21,3 % pour l'autre. Marine Le Pen se fait huer. Les « Macron président ! » emplissent le vaste hall. François Fillon termine juste sur le podium, avec 20 %. Avec 19,58 % des suffrages exprimés, Jean-Luc Mélenchon est troisième. Le socialiste Benoît Hamon est dans les limbes, 6,36 %, à peine de quoi voir ses frais de campagne remboursés. Pour la première fois sous la Ve République, les candidats des deux grandes formations structurant le champ politique – le Parti socialiste et Les Républicains – sont éliminés. C'est un cataclysme pour le Parti socialiste, qui renoue avec le score de 1969 d'une SFIO moribonde. « Une défaite électorale et morale, admet Benoît Hamon. C'est un désastre stupéfiant pour la droite, à qui la victoire était promise jusqu'en janvier. L'aveuglement de son candidat, François Fillon, trop occupé à dénoncer les complots de la justice et des médias, l'aura entraîné dans une autodestruction spectaculaire. « Il n'y a pas qu'une erreur qui a été commise, il y a une interrogation de fond. Je ne pensais pas que le gaullisme puisse être éliminé, c'est un séisme », reconnaît François Baroin, qui n'a cessé de soutenir François Fillon. La sanction brutale des deux grands partis de gouvernement signe la fin d'un cycle. Emmanuel Macron ruine d'autres règles de nos institutions qui ont prévalu jusqu'alors pour accéder à la présidence : d'interminables carrières politiques ; le soutien de puissants partis ; un positionnement net à gauche ou à droite, le centre étant au mieux une force supplétive, au pire un triangle des Bermudes.

Devant l'espace VIP, le néo-macroniste Jean-Marie Cavada, ancien député européen (Modem) vu à la télé dans les années 1990, esquisse quelques pas de danse. Sitôt les résultats connus, Axelle Tessandier, start-uppeuse et déléguée nationale d'En Marche, évoque un « cataclysme dans la vie politique française ». Deux heures plus tard, elle annonce la venue du boss dans une ambiance surchauffée, célébrant « le pari fou que nous avons fait ensemble ». « Tous derrière Emmanuel Macron, qui sera le prochain président dans quinze jours ! » lance-t-elle sous les acclamations. À 22 h 25, Emmanuel Macron débarque sur la scène, accompagné de son épouse, Brigitte. « En une année, s'écrie-t-il, nous avons changé le visage de la politique française. » Emmanuel Macron commence par saluer « ceux qui [l]'ont accompagné en créant et en faisant vivre

En Marche », évoquant ensuite seulement le « rassemblement » en vue du second tour. « Je souhaite dans quinze jours devenir votre président, dit-il. Le président de tout le peuple de France, de tous les patriotes face à la menace des nationalismes, un président qui protège, qui transforme et qui construit. » Encore une fois, un mauvais discours, pas au niveau du moment. Le service minimum en de telles circonstances. Face à Jean-Marie Le Pen, au soir du 21 avril 2002, Jacques Chirac avait dramatisé les enjeux et fait vibrer la corde du rassemblement « pour défendre les droits de l'homme, garantir la cohésion de la Nation, affirmer l'unité de la République et restaurer l'autorité de l'État ».

« Maintenant, il faut continuer de rassembler les Français », s'inquiète l'ex-député socialiste Stéphane Travert. Ils ne sont pas nombreux à se préoccuper à ce moment-là des conditions politiques du rassemblement derrière leur candidat : l'extrême droite s'est hissée pour la deuxième fois en quinze ans au second tour d'une présidentielle, mais, ce soir-là, la « Macron & Cie » festoie, euphorique. Cofondateur des Jeunes avec Macron et candidat à l'investiture d'En Marche aux législatives dans la Vienne, le jeune avocat Sacha Houlié regarde les bons résultats locaux tomber et se voit déjà député (il l'est d'ailleurs devenu). Ancienne ministre de Jacques Chirac, ex-présidente de la SNCF, Anne-Marie Idrac se réjouit de voir son téléphone sonner, tous ces « messages de l'étranger ». Elle rêve déjà tout haut de l'avènement en France d'une « troisième voie » à la française, façon Tony Blair ou Gerhard Schröder. Ce soir-là, le camp Macron, tout à sa joie d'avoir terrassé le « système politique » qu'il vilipende depuis un an, parade. À l'annonce des résultats, la famille et la garde rapprochée se sont affichées en rang d'oignons sur le toit du QG, tandis qu'Emmanuel Macron levait les pouces en signe de victoire. Plus tard, la sauterie à la brasserie parisienne La Rotonde, dans le quartier de Montparnasse, donne le sentiment d'un clan fêtant déjà son succès : les amis, les très proches, les collaborateurs et leurs conjoints ont été conviés, mais la scène rappelle l'épisode du Fouquet's, péché originel du quinquennat de Nicolas Sarkozy. Un journaliste de l'émission « Quotidien » ose la comparaison. Macron rétorque, déjà monarque, qu'il s'agit là de son « bon plaisir ».

« On a monté une affaire il y a un an. Et, en un an, on a réussi à sortir premiers, alors que tout le monde nous crachait à la gueule », dira pour excuser ces agapes le député Arnaud Leroy, un autre socialiste converti. L'atterrissage est sévère. Richard Ferrand évoque un simple « casse-croûte ». Un convive confirme qu'il y avait bien quelques people comme Line Renaud, Stéphane Bern ou Jacques Attali, mais qu'« ils se sont tapé l'incruste ». « Excusez-nous d'avoir la joie joyeuse ! Notre analyse était la bonne, la stratégie aussi. On avait le droit de fêter ça cinq minutes », dit Bariza Khiari, soutien de la première heure. « Oui, dimanche soir, nous nous sommes réjouis, c'est naturel, c'était sincère et je l'assume totalement : il y a un an, nous n'existions pas », commente Emmanuel Macron. Dans cette affaire, l'important est moins le contenu des assiettes que l'image de désinvolture renvoyée. La machine En Marche aurait-elle échoué à prendre en compte la gravité du moment ? « C'est normal qu'il y ait une exultation, mais une élection présidentielle n'est jamais gagnée à l'avance. C'est un moment grave pour un peuple », sermonne François Bayrou, l'« allié » de Macron. « Pas de triomphalisme », tweete Christian Estrosi, président Les Républicains du conseil régional de Provence-Alpes-Côte d'Azur, qui affiche une proximité de plus en plus grande avec Emmanuel Macron.

Le premier tour passé, plusieurs lignes stratégiques s'opposent. Certains proches, gardiens du temple de la pureté du « mouvement », veulent que le second tour soit l'occasion de promouvoir le « projet ». « Beaucoup de gens n'ont pas eu le temps de lire, parce qu'ils l'ont rejeté en bloc ou caricaturé, plaide Aziz-François N'Diaye, le "référent" des Yvelines, où En Marche est passé devant la droite. Il faut désormais que les Français se l'approprient largement. » Pour lui, « diaboliser le Front national, les appels au front républicain, ça ne parle plus aux gens. Le Front national est déjà banalisé : la preuve, personne ne s'offusque de sa présence au second tour. On n'est plus en 2002… » Certains suggèrent de combattre Marine Le Pen sur le terrain du patriotisme, une piste à laquelle Emmanuel Macron est sensible. D'autres encore proposent d'insister sur la réforme des institutions ou encore les sujets sociaux, économiques et écologiques – notamment ses mesures pour le pouvoir d'achat, comme la suppression de la taxe d'habitation pour 80 % des foyers. Hormis Jean-Luc Mélenchon, qui refuse d'appeler explicitement à voter pour lui (« Chacun ou chacune d'entre nous sait en conscience quel est son devoir », dit-il), toutes les grandes forces de gauche et de droite lui apportent leur soutien face à l'extrême droite. Pourtant, Emmanuel Macron écarte tout « bouger » programmatique afin d'élargir sa base électorale. « Je ne vais pas changer un projet qui est le mien. J'ai 24 % des voix au premier tour, je ne vais pas l'amender », dit-il. Discrètement, il est déjà affairé à sonder la droite modérée, notamment l'organisateur de la primaire de la droite Thierry Solère ou le juppéiste Édouard Philippe, en vue de former son gouvernement et sa future majorité.

Marine Le Pen, elle, n'a pas rendu les armes. Trois jours plus tard, alors qu'Emmanuel Macron est en visite dans les Hauts-de-France, région où elle a fait un carton au premier tour, la candidate du Front national, soucieuse d'afficher un visage social pour mieux dépeindre son adversaire en héraut de la « mondialisation sauvage », de l'« argent-roi » et de la « dérégulation totale », tente de pirater le favori des sondages. Annoncé à Amiens, sa ville natale, Emmanuel Macron n'a pas prévu de venir rendre visite aux salariés de l'usine de sèche-linge Whirlpool, délocalisée pour des raisons purement financières, où 290 salariés et 400 sous-traitants et intérimaires risquent de perdre leur emploi. Alors que l'ex-ministre de l'Économie rencontre l'intersyndicale à la chambre de commerce et d'industrie, la candidate du Front national débarque sur le site pour faire des selfies avec des salariés et des militants frontistes. Elle ne s'attarde pas, vingt minutes à peine : assez pour suggérer qu'Emmanuel Macron a évité le face-à-face avec les syndicats. Ce n'est d'ailleurs pas tout à fait faux, puisqu'une visite prévue a été annulée pour des raisons de sécurité. À la CCI, Emmanuel Macron encaisse le coup, puis annonce qu'il se rend sur le site en grève depuis quatre jours. En début d'après-midi, quand il débarque, l'ambiance est surchauffée. Des pneus et des palettes brûlent, et une épaisse fumée noircit les mains et les visages. « Il n'en a rien à foutre de nous, dit Katia Dubois, déléguée du personnel CFTC. Marine Le Pen est venue, alors il a honte, sinon, il ne viendrait pas. » Katia dit qu'elle n'est « pas du Front national ». Mais elle comprend la colère. « "Marine", ça fait longtemps qu'elle parle de Whirlpool. » Emmanuel Macron est accueilli dans une cohue indescriptible, cerné de dizaines de caméras, sifflé, hué, accueilli par quelques « Marine présidente ! ». Les salariés en veulent au candidat, à la presse, qui suit ce déplacement en masse. On entend : « Il est où Macron ? Elle est où la girouette ? » ; « Qu'il vienne salir son costume ! » ; « On est là pour défendre notre dû » ; « C'est lui qui nous délocalise en donnant du pognon aux riches ». « Ce gars-là, il ne m'inspire pas grand-chose », soupire David Dumont, logisticien vêtu d'une veste fluo où s'affichent la date de naissance et de mort de l'usine, « 1999-2018 », précédée d'une croix. « Les petits aussi, ils ont le droit de vote. Il ne faut pas qu'il l'oublie », dit cet électeur de Mélenchon, pas décidé à voter dimanche 7 mai. Samuel Hérault et Romain Ladent, deux militants « gauchistes » proches de François Ruffin, candidat La Picardie debout (soutenu par la France insoumise, Europe-Écologie–Les Verts, le Parti communiste français et Ensemble) à Amiens pour les législatives, restent un peu à l'écart. « Il s'est fait avoir comme un bleu par Le Pen », dit Romain. Eux non plus ne voteront pas. « On l'a fait en 2002. Cette fois, on ne veut pas porter la responsabilité. » Des élus syndicaux entraînent le candidat derrière une grande grille bleue pour discuter. Des dizaines de salariés encerclent Emmanuel Macron. Il argumente trois quarts d'heure, parfois sous les quolibets, redit ses « engagements » : un « repreneur », « pas d'homologation d'un plan social qui ne soit pas à la hauteur ». Mais il ne promet pas de sauver tous les emplois. Il refuse toute « nationalisation », « recette miracle » ou « démagogie » : « La réponse n'est pas de fermer les frontières. C'est mensonger, ne vous trompez pas. » Un homme lui parle des salaires à « 2,34 euros » de l'heure à Lodz, en Pologne, où l'usine va être délocalisée. Une femme lui reproche sa sortie sur les « illettrées » de l'abattoir Gad. Une autre lance : « Monsieur Macron, c'est le business ! Vous êtes avec les actionnaires » – « Le risque, on va le prendre ensemble », promet-il. – « Hé, Monsieur Macron, on est des ouvriers, mais on a des mains propres. Vous nous serrez les mains ? », dit une dame. – « J'ai toujours serré les mains », répond-il en tendant le bras. Un peu plus tard, Emmanuel Macron est à Arras pour un meeting devant deux mille personnes, le premier de l'entre-deux-tours. Une grande partie de son discours cible la famille des Le Pen, qualifiés de « réfugiés au château de Montretout ». Emmanuel Macron promet la « guerre » en cas de victoire du Front national. Il lance : « Pas ça, pas ça, pas ça ! » Il tonne : « J'irai dans tous ces territoires de fractures, je ne laisserai pas une once de territoire à Marine Le Pen. » Étourdi par le coup de poker de Marine Le Pen, il promet : « Le tempo, c'est moi qui vais le donner maintenant. »

Le 1er mai, son dernier meeting parisien est rempli d'électeurs loin d'être tous macronistes. Certains hésitent encore et cherchent de bonnes raisons de voter pour lui. Myriam Drissi par exemple. Un bouquet de muguet à la main, cette employée de banque de trente et un ans a voté Mélenchon au premier tour. Elle sait déjà qu'elle votera Emmanuel Macron contre l'extrême droite : « Voter blanc ou m'abstenir, je ne pourrais pas. » Mais elle aimerait le faire avec « conviction ». Alors, elle a décidé de faire la queue un jour férié, pour écouter « ce qu'il a à proposer ». Il y en a beaucoup d'autres comme elle, les pro-Macron de raison, les ralliés du second tour. Damien Lecuyer, parisien de vingt-six ans, a voté Mélenchon « pour pousser la dynamique de gauche ». Il glissera « sans états d'âme » un bulletin Macron, et ça le rend d'autant plus critique. « Il n'arrive pas à fédérer, il divise. Il est agressif envers les électeurs de Mélenchon. » Damien ne demande pas la lune, il aimerait des signes, « qu'il essaie de rallier un peu la gauche ». Pas très loin, Nathalie, « ancienne du RPR », manteau vert canard, chaussures en daim à franges bon chic bon genre, a voté En Marche au premier tour. Elle veut des signes, elle aussi, mais pas les mêmes ; elle travaille dans une école privée de Bobigny, n'était « pas pour » la loi Taubira mais en a fait son deuil. Elle voudrait que le candidat parle un peu plus « de la famille ». Éclectisme du monde d'Emmanuel Macron, improbable patchwork de gauche à droite, rejoint désormais par les anti-Le Pen. À six jours du deuxième tour, l'ancien ministre de l'Économie tonne contre le Front national, appelle plusieurs fois à la « résistance ». « Madame Le Pen a dit "En Marche ou crève", elle a raison : En Marche, c'est nous. » Sous-entendu : « crève », c'est elle. Le Front national, prévient-il, « c'est un aller sans retour ». Il esquisse quelques gestes sur sa gauche, promet une « réforme de la directive des travailleurs détachés dès le début du quinquennat » et une commission d'évaluation du Ceta, fait applaudir les travailleurs et leurs représentants. Pas question pourtant d'amender son projet, alors que Jean-Luc Mélenchon, opposé aux ordonnances, le lui a demandé. Référente d'En Marche dans le Val-de-Marne et candidate aux législatives dans le XIIe arrondissement de Paris – elle a depuis été élue députée –, Lætitia Avia n'avait pas imaginé un entre-deux-tours aussi difficile. Elle admet son découragement. « Les gens n'ont pas lu notre programme. Notre message dans les quartiers populaires passe difficilement. Je dois même envoyer des messages de mobilisation aux équipes qui sont sur le pont depuis un an alors que les frontistes, eux, sont remobilisés. » Devant la scène où les militants agitent les ballons et sourient toutes dents dehors, Xuan Thu Lé, une professeure membre du comité local de Villejuif, n'en revient pas de la violence de cette campagne, sa première comme militante politique. « Sur le terrain, c'est dur. Il y a ceux qui vous disent qu'ils voteront Macron mais que ce n'est pas un chèque en blanc, ceux qui veulent déjà manifester contre la réforme du travail, ceux qui nous annoncent le Front national dans cinq ans si on se loupe, ceux qui demandent des gages. Macron incarne l'élite et les gens ont le sentiment que l'oligarchie les a trahis, là-dessus Mélenchon a raison. Alors nous, on répond renouvellement, Europe, égalité des chances, et on se mobilise à fond. Mais on a l'impression de porter un flambeau qui pourrait s'éteindre. » Elle soupire : « On est vraiment au bord. On sent qu'il ne faudrait pas grand-chose pour que cela bascule de l'autre côté. »

En meeting à Villepinte le même jour, Marine Le Pen, ralliée par le président de Debout la France, Nicolas Dupont-Aignan, joue son va-tout et met en scène « la France patriote » contre le candidat de l'étranger, celui « de l'arrogance, de la finance et de l'argent ». Mobilisant toute la rhétorique de l'extrême droite, Marine Le Pen délaisse son programme pour concentrer son propos sur son adversaire, dépeint comme « le candidat de Hollande », « de la caste et de ses médias », « le winner autoproclamé », « le candidat de la submersion migratoire ». Avant le débat du second tour, le candidat d'En Marche promet d'aller au « corps à corps, au combat sur le fond des idées pour démontrer que [les] idées [de Marine Le Pen] sont de fausses solutions ».

Le 3 mai, cette confrontation inédite (Jacques Chirac l'avait refusée en 2002 face à Jean-Marie Le Pen) vire au grand n'importe quoi. Alternant insinuations, contre-vérités et formules chocs avec agressivité, la candidate du Front national « trumpise » le débat. Elle dissémine les fausses informations et intox, sans forcément être corrigée par des journalistes transparents. Pourtant, elle apparaît vite dépassée sur le fond. Poussée par son adversaire à se positionner, elle trahit sa méconnaissance des dossiers, lit ses notes, aligne les erreurs. La fille de Jean-Marie Le Pen se liquéfie en direct devant 16,5 millions de téléspectateurs.

Le dimanche 7 mai, Emmanuel Macron est élu président de la République avec 66 % des suffrages exprimés. Une victoire nette, mais avec un niveau de 25,44 %

d'abstention, record pour une présidentielle, et plus de quatre millions de votes blancs et nuls. Le voilà qui s'avance sous la voûte du Louvre. Il entre en majesté dans la Cour carrée. Avant l'élection, il avait assuré qu'il entrerait immédiatement dans la fonction. Cette promesse, au moins, il l'a tenue tout de suite.

III.

AUX COMMANDES

« Bon courage ! » François Hollande s'engouffre dans la voiture et quitte ce palais de l'Élysée où il a détesté vivre. « Emmanuel Macron, c'est moi », disait-il il y a deux ans[1]. Au fil de la campagne, il s'est fait à l'idée que le « traître » lui succède : « Je préfère laisser le pays entre des mains qui vont faire fructifier ce que nous avons commencé[2]. » Ce matin du dimanche 14 mai, une semaine après son élection, Emmanuel Macron devient le huitième président de la Ve République. Dans la salle des fêtes remplie d'invités, l'orchestre joue *L'Apothéose,* de Berlioz, et les *Lauriers,* de Saint-Saëns. Le président du Conseil constitutionnel Laurent Fabius proclame les résultats de cette « campagne électorale chamboule-tout » et cite Chateaubriand : « Pour être l'homme de son pays, il faut être l'homme de son temps. » Après une présidentielle qui a prouvé les fractures de l'électorat, mais aussi le désintérêt de nombreux Français, ce bref discours est aussi une mise en garde. « Apaisez les

1. Gérard Davet et Fabrice Lhomme, *Un président ne devrait pas dire ça,* op.cit.
2. Laure Bretton, « Hollande sur sa fin », *Libération,* 9 mai 2017.

colères, réparez les blessures, levez les doutes, tracez la route et incarnez les espoirs. » Emmanuel Macron prononce une allocution tout en modestie. « Je veillerai à ce qu'il y ait un renouvellement démocratique. Les citoyens auront voix au chapitre, ils seront écoutés. [...] Humblement, je servirai notre peuple. Je sais pouvoir compter sur tous nos concitoyens. Dès ce soir, je serai au travail. »

Pourtant, quelques minutes après, le voilà qui remonte les Champs-Élysées sur un véhicule militaire, en chef de guerre : du jamais-vu. L'entrepreneur politique veut signifier qu'il s'est métamorphosé en « Jupiter » : le dieu des dieux, qui fait parler la foudre. Pas un média, ou presque, où Macron ne soit depuis affublé de ce surnom. Pas pour lui déplaire : mieux vaut cela que « Pépère », l'appellation moqueuse dont François Hollande hérita dès son premier été. Emmanuel Macron veut montrer qu'il contrôle. Il serait le « maître des horloges », serine l'Élysée. Le 18 juin, alors que beaucoup prédisaient un Parlement ingouvernable, le voilà même doté d'une confortable majorité absolue. La logique implacable des institutions a fonctionné à plein. Emmanuel Macron en profite pour forcer le trait en usant de l'immense pouvoir, effectif et symbolique, que lui offrent les institutions et ainsi accentuer la domination sans contestation du fait présidentiel. Au passage, il mobilise un imaginaire bien éloigné de la modernité démocratique qu'il revendique.

Avant l'élection, certains avaient prévenu. « C'est un mini-Sarkozy... », glissait un « techno » approché mais resté sur ses gardes, qui le compare au « Young Pope » de la série américaine, où un « jeune pape » blond, incarné par Jude Law, se révèle autoritaire après avoir été élu par défaut. « Il a une confiance absolue en un destin personnel. Il y a chez lui beaucoup d'*hybris*[1]. Au fond, il est très monarchique », avait confié à ses amis l'ancien patron du Crédit Lyonnais Jean Peyrelevade, « marcheur » des débuts vite déçu. Un membre influent de l'équipe de campagne s'interrogeait même à haute voix : « Il pourrait devenir très autocrate car, s'il est élu, il ne devra sa victoire qu'à lui-même. »

Plus qu'aucun de ses prédécesseurs, Emmanuel Macron inaugure une présidence de signes et d'images. Lorsqu'il reçoit le président russe Vladimir Poutine, c'est dans la galerie des Glaces, à Versailles, palais symbole de l'absolutisme, le tout filmé en long traveling comme au cinéma. Avec le président américain Donald Trump, il entame une « bromance[2] » en mondovision dont il pense sans doute sortir vainqueur, ne serait-ce que par contraste avec l'« affreux » qui occupe la Maison-Blanche. Tandis que son Premier ministre, Édouard Philippe, prononce le 4 juillet un discours de politique générale à l'Assemblée nationale, Emmanuel Macron se met en scène à bord du sous-marin nucléaire *Le Terrible*, vêtu en marin et hélitreuillé, et l'on ne sait pas si l'on a sous les yeux James Bond ou OSS 117. Dans l'été, on le retrouve sur la base militaire d'Istres vêtu de la combinaison vert kaki des aviateurs. Dans son bureau à l'Élysée, la communicante du « Château »

1. « La démesure », qui se signale par le fait de se comparer aux dieux ou de s'attribuer leurs prérogatives, selon les textes de la Grèce antique.

2. « Une amitié forte entre deux hommes », selon l'*English Oxford Living Dictionary*.

Sibeth Ndiaye nous dit son envie de constituer un « pool » de photographes, dont certains « venus de la presse sportive », pour mieux « capter les mouvements » lors de déplacements présidentiels de plus en plus scénarisés. Fin juin, le portrait officiel du jeune président, réalisé par sa photographe, Soazig de la Moissonnière, est dévoilé : une lumière crue, deux iPhone, des ouvrages de la Pléiade, et cette étrange posture, debout face à l'objectif, les mains calées sur le bureau. « Cette photo kitsch est maintenant accrochée dans toute la France[1] », raille le quotidien allemand *Bild*, expert en mauvais goût. « Macron, c'est Giscard qui se prend pour Bonaparte », commente André Gunthert, maître de conférences à l'École des hautes études en sciences sociales[2]. « Pourtant, loin du pont d'Arcole, l'accueil réservé du portrait orgueilleux du chef de l'État indique une marge politique infiniment plus réduite. » Malgré l'apparat et le glamour projeté à la face du monde, ce président apparaît plus faible une fois confronté au réel. Sous le carton-pâte transparaît l'ambiguïté de ses « en même temps ». Déjà, les premières marches arrière ont été enclenchées.

1. « Dieses Kitsch-Foto hängt jetzt in ganz Frankreich », couverture du quotidien allemand *Bild*, le 29 juin 2017.

2. André Gunthert, « Le portrait et le kebab », sur le site Imagesociale, 1er juillet 2017.

1.

Les affres de « Jupiter »

« Cette fonction a une part symbolique qui n'est plus de la gestion. » Invité de Mediapart juste avant son élection, Emmanuel Macron avait prévenu : il allait changer. Comment ? Là résidait l'incertitude. Au contraire de François Hollande, il a toujours reconnu ne pas croire au « président normal ». Dès l'automne 2016, dans un entretien au magazine *Challenges* – le propriétaire, Claude Perdriel, et les éditorialistes du journal en ont fait leur candidat –, il annonce une « présidence jupitérienne[1] ». Un Jupiter somme toute assez vieux jeu, qui s'accommode très bien des institutions de la Ve République et pense que les Français sont nostalgiques de la royauté. Il décèle en politique un absent, la figure du roi, dont « [il] pense fondamentalement que le peuple français n'a pas voulu la mort[2] ». « La Terreur a creusé un vide émotionnel, imaginaire, collectif, poursuit-il. Le roi n'est plus là. On a essayé ensuite de réinvestir ce vide, d'y placer d'autres

1. « Macron ne croit pas au "président normal, cela déstabilise les Français" », *Challenges*, 16 octobre 2016.

2. « J'ai rencontré Paul Ricœur, qui m'a rééduqué sur le plan philosophique », *Le 1*, 8 juillet 2015.

figures : ce sont les moments napoléonien et gaulliste, notamment. Le reste du temps, la démocratie française ne remplit pas l'espace. » Il précise : « Je ne pense évidemment pas qu'il faille restaurer le roi. En revanche, nous devons absolument inventer une nouvelle forme d'autorité démocratique fondée sur un discours du sens, un univers de symboles, une volonté permanente de projection dans l'avenir, le tout ancré dans l'Histoire du pays[1]. » Pendant la campagne, il promet même de rouvrir les chasses présidentielles, fermées par Nicolas Sarkozy. « Il ne faut pas être honteux. Il faut les reconnaître comme un élément d'attractivité, lance-t-il devant l'assemblée générale de la Fédération des chasseurs de Paris. C'est quelque chose qui fascine, partout. Cela représente la culture française. »

Sitôt élu, Emmanuel Macron gagne l'Aventin pour ne plus en descendre. Quand son prédécesseur avait rendu la pratique des conférences de presse plus régulière, lui annule la traditionnelle interview du 14 juillet, instaurée en 1978 par Valéry Giscard d'Estaing. Il paraît, suivant l'Élysée, que sa pensée est trop « complexe » pour qu'il se plie à l'exercice ! Quatre jours après l'entrée en fonction du nouveau président, les sociétés de journalistes de vingt-six rédactions, dont Mediapart, s'inquiètent de la volonté élyséenne de sélectionner les journalistes pour son premier voyage au Mali. En quelques semaines, plusieurs alertes interrogent sa capacité à rendre des comptes. Quand Mediapart, *Le Parisien* et *Libération* révèlent les pistes envisagées pour la future réforme du code du travail, la ministre Muriel Pénicaud dépose une plainte contre X pour « vol de document, recel et violation du

1. *Challenges*, 16 octobre 2016, op. cit.

secret professionnel » afin de traquer leurs sources. « Les fuites se sont vite taries », se réjouit-on au « Château ». Lorsque *La Lettre A* écrit un article recoupé sur la base des Macron Leaks, elle est attaquée pour « recel d'atteinte à un système de traitement automatisé de données ». Les médias qui enquêtent sur la ministre du Travail et ses activités d'ancienne patronne de Business France sont priés par le porte-parole du gouvernement, Christophe Castaner, de « ne pas l'affaiblir ». Mis en cause dans une affaire immobilière, l'éphémère ministre Richard Ferrand, recasé depuis à la tête du groupe macroniste à l'Assemblée nationale, ironise sur les « efforts méritoires » des journalistes pour empêcher sa réélection de député du Finistère, comme si le travail d'enquête des journalistes s'apparentait à de sombres manœuvres ourdies contre lui. Lorsqu'une enquête préliminaire est ouverte contre le Modem, Mediapart révèle que le garde des Sceaux François Bayrou a appelé la cellule investigation de France Inter pour se plaindre. « Ce n'est pas le ministre de la Justice ni le président du Modem qui a appelé, c'est le citoyen », ose-t-il.

Le 3 juillet, Emmanuel Macron lui-même s'en prend aux médias devant les députés et les sénateurs réunis en Congrès à Versailles, dénonçant une « recherche incessante du scandale », « le viol permanent de la présomption d'innocence », « cette chasse à l'homme où parfois les réputations sont détruites ». Cette allocution en majesté la veille du discours de politique générale de son Premier ministre, Édouard Philippe[1], se déploie

1. Le président de la République peut s'adresser aux parlementaires réunis en Congrès à Versailles depuis la réforme constitutionnelle

d'ailleurs selon un calendrier des plus curieux. Son Premier ministre a beau assurer que « les deux paroles sont complémentaires », Emmanuel Macron sait très bien qu'il ne lui facilite pas la tâche : cette initiative sera forcément très commentée, surtout en début de quinquennat où les faits et gestes du nouveau locataire de l'Élysée sont disséqués. Jean-Luc Mélenchon s'en prend au « pharaon ». Le chef de file de la droite canal historique Christian Jacob « met en garde contre un pouvoir sans partage ». L' Union des démocrates et indépendants (UDI) centriste condamne une « dérive absolutiste ». Même si Emmanuel Macron avait promis de réunir le Congrès tous les ans, le président semble mettre son Premier ministre sous surveillance. D'autant qu'il ne fait ce jour-là que rappeler des promesses de campagne : réduire d'un tiers le nombre de parlementaires, limiter le cumul des mandats dans le temps, introduire une dose de proportionnelle. Il confirme la possibilité d'un référendum sur ces sujets si le chantier n'est pas « parachev[é] d'ici un an ». La démonstration de force coûte 200 000 euros.

« Les institutions ne sont pas celles d'un pouvoir personnel », avait pourtant juré Emmanuel Macron juste avant d'être élu. N'avait-il pas, dans ses meetings, dénoncé « l'hyperresponsabilité » du chef de l'État ?

---

de 2008. Nicolas Sarkozy avait utilisé cette disposition en juin 2009 pour annoncer le lancement d'un emprunt national et une loi interdisant le port du voile intégral. François Hollande s'était présenté face au Congrès après les attentats de novembre 2015 pour détailler une série de mesures, dont la déchéance de nationalité pour les binationaux convaincus de terrorisme, finalement abandonnée.

La volonté d'affirmer son pouvoir va très rapidement provoquer la première vraie crise politique du quinquennat : un affrontement historique avec l'armée, deux mois à peine après son entrée en fonction. Mercredi 19 juillet, le chef d'État-Major des armées, le général Pierre de Villiers, annonce sa démission au terme d'un bras de fer inédit avec le président. « Je considère ne plus être en mesure d'assurer la pérennité du modèle d'armée auquel je crois pour garantir la protection de la France et des Français aujourd'hui et demain et soutenir les ambitions de notre pays », explique le plus haut gradé de l'armée, qu'Emmanuel Macron vient pourtant de confirmer à son poste. Jamais sous la Ve République un militaire d'un tel rang n'avait démissionné de plein gré. Il y a bien eu un précédent en 1961, mais en pleine guerre d'Algérie et pour raisons de santé. Cette fois, il s'agit d'un débat budgétaire que le président de la République a lui-même envenimé.

La crise ouverte entre le chef d'État-Major des armées et le président de la République commence le 12 juillet, après une audition à huis clos de la commission de la Défense à l'Assemblée nationale. Bercy vient de remettre sa copie sur les demandes d'économies pour l'année à venir. Pour la Défense, elles sont drastiques : 850 millions d'euros. Pierre de Villiers conteste ces coupes. Ses propos fuitent, notamment une petite phrase où il ne décolère pas de s'être fait « baiser » par Bercy. Sa colère n'est pas une surprise. Ce n'est pas la première fois que de Villiers, en poste depuis 2014, monte au créneau, au point d'avoir déjà brandi la menace d'une démission. Cette année-là, après deux années de réduction budgétaire, les chefs d'État-Major (des armées de l'air, de terre et de la marine) avaient eux aussi discrètement menacé de claquer la porte. Depuis, à la faveur des opérations extérieures décidées par François Hollande (Mali, Centrafrique, Irak, Syrie) et de l'opération Sentinelle sur le territoire national, le budget de la Défense a été sanctuarisé. Mais Pierre de Villiers n'a jamais cessé de donner l'alerte publiquement, y compris pendant la campagne. En décembre 2016, il plaide dans la presse pour un « effort de guerre », une prise de parole rarissime, surtout en contexte électoral[1]. En février 2017, à l'Assemblée nationale, il dresse un tableau alarmant de l'état des troupes, parle d'équipements « au bord de la rupture », de « capacités » insuffisantes, assure que « plus de 60 % des véhicules de l'armée de terre engagés en opérations ne sont pas protégés ». « On a déjà tout donné », lâche-t-il.

Pendant la campagne, Emmanuel Macron s'était engagé à porter à 2 % du PIB le budget de la Défense d'ici à 2025. Après la baisse opérée dans le budget 2017, une augmentation de 1,5 milliard d'euros est d'ailleurs prévue pour l'année suivante. Pourtant, le chef de l'État va choisir le rapport de force. Jeudi 13 juillet, lors de la réception au ministère de la Défense, qui précède chaque année la fête nationale, il sidère l'auditoire en tançant le chef d'État-Major sans jamais le nommer devant ses subordonnés : « Il n'est pas digne d'étaler certains débats sur la place publique. Je suis votre chef. Les engagements que je prends devant nos concitoyens et devant les armées, je sais les tenir. [...] Je n'ai à cet

1. « Le prix de la paix, c'est l'effort de guerre », *Les Échos*, 20 décembre 2016.

égard besoin de nulle pression et de nul commentaire. »
« Si quelque chose oppose le chef d'État-Major des armées au président de la République, le chef d'État-major des armées change », martèle Emmanuel Macron. Pierre de Villiers réagit sur Facebook : « Parce que tout le monde a ses insuffisances, personne ne mérite d'être aveuglément suivi. » Le bras de fer interroge sur les contradictions du nouveau pouvoir. Constitutionnellement, le président élu a toute autorité sur les armées – il s'agit d'un principe républicain essentiel. Mais le chef de l'État choisit de diminuer les dotations alors même qu'il a décidé de maintenir la dissuasion nucléaire et toutes les opérations en cours.

Cette contradiction révulse de nombreux spécialistes, y compris au sein de la majorité. Ancien député étiqueté Parti socialiste réélu sous la bannière La République en marche, Gwendal Rouillard, un très proche du ministre des Affaires étrangères Jean-Yves Le Drian, se dit « révolté ». Durant plusieurs jours au creux de l'été, ce conflit inédit accrédite la thèse d'un pouvoir sans partage. Le nouveau président a-t-il voulu se délier les mains en écartant ceux qui ont fait la défense française sous François Hollande : le ministre Jean-Yves Le Drian, désormais passé au quai d'Orsay, son puissant directeur de cabinet Cédric Lewandowski, reparti chez EDF, le patron de la Direction générale de l'armement Laurent Collet-Billon, non reconduit, et Pierre de Villiers, démissionnaire ? Le départ du chef d'État-Major interroge en tout cas le respect des droits du Parlement. Pierre de Villiers a en effet payé des propos rapportés tenus lors d'une audition à huis clos. Sa punition risque à l'avenir d'encourager les futurs responsables militaires et civils à la plus grande prudence, aux dépens du droit d'information de l'Assemblée.

La fréquentation des grands de ce monde offre à Emmanuel Macron d'autres occasions d'affirmer son pouvoir. Il entend montrer sa détermination à remettre la diplomatie française à la table des puissances, dont l'avis compte pour l'avenir du Proche et du Moyen-Orient. Au point d'assumer les codes « virils », dit-il, de la diplomatie, comme s'ils étaient consubstantiels à la fonction. Il recherche même les tête-à-tête et les confrontations dont les médias et les réseaux sociaux se délectent et qui, pense-t-il, le feront briller. Le 29 mai, quinze jours après le début du quinquennat, le premier hôte de marque s'appelle Vladimir Poutine. Il est reçu avec faste, et à Versailles, château du Roi-Soleil, où est inaugurée une exposition sur Pierre le Grand, le tsar de toutes les Russie. La dernière visite de Vladimir Poutine à Paris, prévue pour l'automne 2016, avait été annulée à la demande de François Hollande, en pleins bombardements d'Alep (Syrie). « Aucun enjeu essentiel ne peut être traité aujourd'hui sans dialoguer avec la Russie », justifie Emmanuel Macron. Lors de la conférence de presse donnée avec Poutine, le président français exprime ses critiques sur la situation des lesbiennes, gais, bi et transsexuels (LGBT) en Tchétchénie, des ONG en Russie, dénonce la « propagande » des médias russes Russia Today (RT) et Sputnik News, qui l'ont ciblé à coups de rumeurs au cours de la présidentielle. Mais, sur le fond, il signale sa volonté d'apaisement.

Avant son élection, Emmanuel Macron s'est dit favorable à une reprise du dialogue avec les Russes, mis à mal depuis l'annexion de la Crimée, en 2014. Face à

Poutine, il reprend les deux « lignes rouges » de la diplomatie française concernant la Syrie : les armes chimiques, dont l'utilisation « fera l'objet de représailles et d'une riposte immédiate [...] de la part des Français », et l'accès humanitaire. Mais à aucun moment il ne fait du départ de Bachar al-Assad la condition sine qua non du dialogue. Un mois plus tard, il opère même un spectaculaire revirement. Dans un entretien publié le jeudi 22 juin par huit journaux européens, il revendique un *aggiornamento* (sic) de la ligne française. « Je n'ai pas énoncé que la destitution de Bachar al-Assad était un préalable à tout », déclare-t-il[1]. Pendant la campagne, il avait pourtant expliqué à plusieurs reprises que le président syrien, responsable du massacre de son peuple, devait quitter le pouvoir pour assurer une transition politique durable. Il l'avait redit après la visite de Vladimir Poutine aux représentants de l'opposition syrienne. En pratique, cela ne fait que valider une réorientation souterraine de la politique française depuis les attentats de novembre 2015 au nom de la lutte contre l'État islamique. Mais, en s'alignant sur la rhétorique de Moscou, Emmanuel Macron prend le risque de perdre toute crédibilité en matière de défense des Droits de l'homme et de soutien aux sociétés civiles. Pour justifier sa nouvelle position, il va jusqu'à resservir des arguments avancés depuis des années par le régime syrien et ses alliés. « Personne, assure-t-il, ne m'a présenté son successeur légitime. » Il dit aussi promouvoir « la stabilité de la Syrie », « car je ne veux pas d'un État failli » : c'est l'une des obsessions russes.

1. « L'Europe n'est pas un supermarché », *Le Figaro*, 22 juin 2017.

Ses propos ravissent la propagande de Damas et les soutiens les plus zélés du régime. Mais ils écœurent l'opposition syrienne. « Macron promettait de jouer un rôle de *leadership* politique et éthique au niveau européen et international. Cette déclaration l'a d'emblée décrédibilisé aux yeux d'une grande partie de ceux qui y croyaient », commente le chercheur Ziad Majed, spécialiste de la Syrie. Il dénonce le « mépris affiché vis-à-vis de tout un peuple, une approche qui dessaisit la France des valeurs universelles et du droit international qu'elle prétend souvent défendre. Pire encore, ce message sera interprété par le dictateur syrien comme un permis de tuer, une totale immunité[1]. » Selon plusieurs sources interrogées par Mediapart, l'*aggiornamento* a d'ailleurs pris de court les diplomates et les spécialistes français du dossier syrien, qui n'ont pas été consultés. Seul le ministre des Affaires étrangères Jean-Yves Le Drian, qui défendait un discours similaire lorsqu'il était ministre de la Défense de François Hollande, semblait être dans la confidence. Emmanuel Macron fait le pari qu'il permettra à la France de participer à une solution politique, d'« anéantir » l'État islamique et de stabiliser la région.

Quatre jours avant les fastes réservés à Poutine, à Versailles, Emmanuel Macron se présente sur la scène internationale au sommet de l'Otan à Bruxelles. Il y rencontre pour la première fois Donald Trump, l'incontrôlable locataire de la Maison-Blanche. Depuis des semaines, les conseillers de l'Élysée en parlent avec délectation. Une interminable poignée de main, des

1. « Les déclarations de Macron sur la Syrie le décrédibilisent », *L'Orient-Le Jour*, 24 juin 2017.

phalanges blanchies d'avoir trop serré : la séquence est commentée dans le monde entier. Emmanuel Macron glisse ses « confidences » au *Journal du dimanche.* « C'est un moment de vérité, dit-il. Il faut montrer qu'on ne fera pas de petites concessions, même symboliques, mais ne rien "surmédiatiser" non plus. » Avec Donald Trump, Emmanuel Macron manœuvre en tentant de retourner la force de l'adversaire.

Le 1er juin, lorsque le président américain annonce qu'il va faire sortir son pays de l'accord de Paris sur le climat, signé par cent quatre-vingt-dix-sept États, la présidence diffuse à 23 h 30 une allocution vidéo surprise : Emmanuel Macron y exhorte les signataires « à la résistance » et invite « scientifiques, ingénieurs, entrepreneurs, citoyens engagés que la décision du président des États-Unis a déçus » à venir en France. Ce discours, Emmanuel Macron le lit aussi en anglais. « Make our planet great again ! » lance-t-il en détournant le slogan nationaliste de Donald Trump[1]. Le jeune locataire de l'Élysée confirme une grande dextérité en termes de communication. Le président américain est même convié à Paris à l'occasion du défilé militaire du 14 juillet sur les Champs-Élysées. Une sorte de troisième round. Donald Trump est accueilli en grande pompe aux Invalides. Les couples présidentiels dînent au Jules-Verne, le très chic restaurant de la tour Eiffel. Le lendemain, 200 militaires des trois armées américaines et huit avions F 16 et F 22 lancent la parade. Place de la République, une « No Trump zone » ras-

1. « Make America great again » (« Rendre sa grandeur à l'Amérique »).

semble une centaine de manifestants à l'appel du collectif Nuit debout.

Avec cette visite, Emmanuel Macron pense faire coup double. Face au vieux bougon américain qui se permet avec Brigitte Macron les remarques sexistes dont il est coutumier, le président français peaufine son image sans effort, lui qui rêve de succéder à Barack Obama dans le rôle du « cool » des grandes puissances. Au-delà des instants de papier glacé, la visite lui permet surtout d'affirmer le lien avec les États-Unis dans le cadre de la lutte antiterroriste. Irak, Syrie, Sahel, Libye : entre Paris et Washington voilà un dossier où les relations sont au beau fixe. « Le niveau de confiance actuel entre les deux armées n'a jamais été atteint par le passé », se félicite l'Élysée.

Sous le quinquennat précédent, l'entourage de François Hollande ne tarissait déjà pas d'éloges sur la coopération militaire et sécuritaire avec les États-Unis, devenue une priorité nationale du fait des attentats. Lorsque Mediapart et *Libération*, en collaboration avec Wikileaks, avaient révélé en juin 2015 que trois présidents, dont François Hollande, avaient été écoutés par l'agence du renseignement américaine (la NSA, l'Agence nationale de la sécurité), la France avait à peine protesté. Et pour cause : de l'avis de plusieurs officiers de renseignement français, la coopération en coulisses avec les États-Unis ne cessait de se renforcer. Les États-Unis considèrent en effet que les djihadistes francophones figurent parmi « les plus dangereux ». « Les Américains nous disent que nous sommes devenus leur frontière extérieure, dit un gradé. Dès que nous avons un besoin spécifique, on leur demande et ils nous apportent leurs formidables moyens techniques. » La NSA fait don de ses grandes oreilles et transmet aux Français les écoutes en cours qui les intéressent. En 2016, lorsque ses ingénieurs « craquent » Telegram, l'application de messagerie cryptée utilisée entre autres par les djihadistes, ils en font profiter la DGSI. Le contre-espionnage parvient ainsi à déjouer plusieurs attentats commandités depuis la Syrie par le Français Rachid Kassim. Les Américains sont aussi ravis d'aider la France à se débarrasser de ses ressortissants à coups de frappes aériennes opérées sans aucune base légale. Le Pentagone a ainsi endossé la paternité de la disparition, le 24 décembre 2015, de Charaffe el-Mouadan, ami d'enfance de l'un des kamikazes du commando du Bataclan et proche d'Abdelhamid Abaaoud, le coordinateur des attentats du 13-Novembre. Le 27 novembre 2016, c'est un autre missile américain qui met fin à la carrière de terroriste international du Franco-Tunisien Boubaker el-Hakim, dont Mediapart a révélé qu'il était suspecté d'avoir commandité une dizaine d'attentats visant l'Europe et le Maghreb dans les deux mois précédant sa mort. Plusieurs sources racontent le même processus : chaque mois, lorsque les Américains ont atteint leurs propres cibles sur le théâtre syro-irakien, ils se tournent vers leurs alliés français pour leur demander s'il y a des lieux ou des individus qu'ils veulent voir visés. Les Français transmettent les coordonnées ou les renseignements, donnant le feu vert à ces très discrètes opérations spéciales.

À peine Donald Trump est-il remonté dans son avion qu'Emmanuel Macron reçoit un troisième hôte très contesté : le Premier ministre israélien, Benjamin

Netanyahou, convié à Paris pour fêter la commémoration de la rafle du Vél'd'Hiv, les 16 et 17 juillet 1942. Cette première interroge quant au symbole politico-mémoriel choisi par le nouveau pouvoir et le risque de confusion entre les juifs de France et Israël d'une part, entre la mémoire du génocide et Israël d'autre part. Vivement dénoncée par les militants de la cause palestinienne, l'invitation fait encore bondir plusieurs historiens. « Quel est le message ? Je ne suis pas sûr de comprendre, s'étonne le spécialiste de la collaboration et de la Shoah Henry Rousso[1]. Le Vél'd'Hiv est un événement français à double titre : parce qu'il a eu lieu en France et parce qu'il marque la responsabilité française dans la Shoah. » « C'est à travers le Vél'd'Hiv que la responsabilité française a été reconnue », ajoute-t-il. « Le risque est de communautariser la mémoire du Vél'd'Hiv, juge l'historien Sébastien Ledoux[2]. Tout le travail mené dans les années 1980 et 1990 sur la Shoah a consisté à ne pas en faire une histoire seulement juive mais une histoire universelle. » « Surprise » elle aussi, Renée Poznanski, professeure de science politique à l'université Ben Gourion, à Beer-Sheva[3], estime que la venue du Premier ministre israélien conduit à « entrer dans le jeu de ce que tous les gouvernements israéliens successifs ont voulu : parler au nom des juifs

1. Henry Rousso a écrit plusieurs ouvrages sur la collaboration et la mémoire de la Shoah, comme *Le Syndrome de Vichy* (Le Seuil, 1987), *Vichy, un passé qui ne passe pas* (Fayard, 1994) ou *Face au passé. Essais sur la mémoire contemporaine* (Belin, 2016).

2. Sébastien Ledoux, *Le Devoir de mémoire*, CNRS Éditions, 2016.

3. Renée Poznanski, *Les Juifs en France pendant la Seconde Guerre mondiale* (Fayard, 1997) ; *Drancy, un camp en France* (Fayard, 2015).

du monde entier ». « La communauté juive officielle est très à droite en France et soutient Israël quoi qu'il arrive, poursuit la chercheuse. Mais ce n'est pas le cas d'une bonne partie des juifs de France. » Selon elle, la « confusion entre les juifs de France et Israël est une erreur ».

À ces questions de principe s'ajoute la personnalité du Premier ministre israélien, figure de la droite dure alliée à l'extrême droite, qui mène en Israël une politique de colonisation, de discrimination et d'opposition systématique aux maigres tentatives pour entrer dans un processus de paix. Au mémorial du Vél'd'Hiv, Emmanuel Macron ose une phrase inédite dans la bouche d'un président français : « Nous ne céderons rien à l'antisionisme, car il est la forme réinventée de l'antisémitisme. » Du miel pour les oreilles de Benjamin Netanyahou. Mais surtout un contresens historique, qui revient à nier toute une tradition non sioniste au sein même de l'histoire juive. Sur Mediapart, l'historien israélien Shlomo Sand s'adresse au président : « Cette déclaration avait-elle pour but de complaire à votre invité, ou bien est-ce purement et simplement une marque d'inculture politique ? L'ancien étudiant en philosophie, l'assistant de Paul Ricœur, a-t-il si peu lu de livres d'histoire, au point d'ignorer que nombre de juifs, ou de descendants de filiation juive se sont toujours opposés au sionisme sans, pour autant, être antisémites ?[1] »

1. Shlomo Sand, « Lettre ouverte à M. le Président de la République française, Le club de Mediapart, 20 juillet 2017.

Contre les tendances néoconservatrices de la diplomatie française sous Nicolas Sarkozy ou François Hollande, Emmanuel Macron assume un réalisme diplomatique « gaullo-mitterrandien » a priori proche des positions d'un Dominique de Villepin ou d'un Hubert Védrine, même s'il se garde d'entrer dans les détails doctrinaux. Mais le réalisme confine parfois au cynisme. Le 14 mai, Emmanuel Macron se rend pour son premier voyage officiel à Rabat pour rompre le jeûne du ramadan avec le roi Mohamed VI alors qu'un mouvement social contre les inégalités et la corruption est brutalement réprimé par la monarchie chérifienne. Le 11 juillet, il reçoit en catimini le président tchadien Idriss Déby à l'Élysée, le jour même de la publication d'une lettre ouverte d'opposants tchadiens demandant aux pays occidentaux de cesser de le soutenir. Quant au ministre des Affaires étrangères Jean-Yves Le Drian, il s'est empressé de se rendre en Égypte, sa neuvième visite dans le pays comme ministre depuis 2012, afin de réaffirmer le soutien au maréchal Sissi et d'évoquer le sort de la Libye, et ce malgré la multiplication des atteintes aux droits humains constatées. Le ministre a assuré avoir évoqué la « question des droits de l'homme », mais, publiquement, il n'en a rien dit.

2.

Édouard Philippe, Premier ministre sous surveillance

Entre deux rendez-vous avec les grands de ce monde, Emmanuel Macron a trouvé le temps de nommer son Premier ministre. Le 15 mai, Édouard Philippe devient, à quarante-six ans, l'un des plus jeunes chefs de gouvernement de la Ve République. Un choix rationnel et tactique. Élu local depuis seize ans, maire Les Républicains du Havre depuis 2010 et député, Édouard Philippe est inconnu du grand public : parfait pour cocher la case « renouvellement ». Avant les législatives, Emmanuel Macron, tout à sa « recomposition » politique, veut par ailleurs faire craquer la droite. En nommant ce très proche d'Alain Juppé, il déstabilise Les Républicains, qui hurlent au « débauchage ». « Je suis un homme de droite », rappelle le nouveau locataire de Matignon dès sa passation de pouvoir avec Bernard Cazeneuve.

Édouard Philippe et Emmanuel Macron se sont rencontrés en 2011, mais ils ne se connaissent pas si bien. Si l'un ne jure que par le « boss » Bruce Springsteen tandis que l'autre chante du Johnny Hallyday dans les karaokés, le tandem est en revanche sur la même longueur d'onde politique. Fils de professeurs de lettres et petit-fils de docker, passé par Sciences-Po et l'Ena,

Édouard Philippe a milité pour la première fois au sein du Parti socialiste quand Michel Rocard, la référence d'Emmanuel Macron, semblait être en mesure de succéder à François Mitterrand. À la mairie du Havre, ancienne ville communiste, à droite depuis 1995, Édouard Philippe revendique lui aussi le « ni gauche ni droite ». Ils sont tous deux proeuropéens libéraux convaincus que l'État ne peut pas tout. Édouard Philippe, « collé » à Alain Juppé depuis que celui-ci l'a embauché à l'UMP en 2004, fait partie de ceux qui refusent la stratégie identitaire sarkozyste ou la potion ultraconservatrice d'un François Fillon. En 2013, il s'est abstenu lors du vote de la loi ouvrant le mariage aux couples de même sexe, violemment combattue dans les rangs de la droite – et il s'est opposé à la procréation médicalement assistée (PMA) pour les femmes, qu'Emmanuel Macron a inscrite à son programme. En 2015, à rebours d'une majorité d'élus UMP, il a voté contre la loi renseignement. Le député et maire du Havre s'est pourtant longtemps méfié de l'ancien ministre de François Hollande. Trois mois avant l'élection, il se moquait encore du candidat d'En Marche, « haut fonctionnaire devenu, à la faveur d'une révolution de palais, le conseiller de Tibère, empereur détaché des affaires courantes, il finira par l'assassiner[1] ». Mais quand survient l'interminable affaire François Fillon, Édouard Philippe voit une partie de la droite se radicaliser et sait la présidentielle perdue. « Je partage probablement un certain nombre de choix ou d'analyses avec Emmanuel Macron, je ne l'ai d'ailleurs jamais caché,

1. « En latin, on dit "ambulans" », *Libération*, 18 janvier 2017.

finit-il par expliquer sur le plateau de Mediapart trois jours après le premier tour. L'offre de services est claire. Lui qui refusait d'intégrer un gouvernement à la façon d'Éric Besson, l'ancien socialiste qui avait rejoint Nicolas Sarkozy en 2007, doit désormais tenter de constituer ce qu'il appelle une « majorité d'un nouveau type ». Le 4 juillet, lorsqu'il prononce son discours de politique générale, il obtient la confiance avec 370 votes pour, 67 contre et 129 abstentions : le plus faible nombre de votes « contre » depuis 1959. Succès en trompe-l'œil. Tout seul, Édouard Philippe ne pèse pas grand-chose. Un député Les Républicains a cette phrase féroce : « Pour les députés En Marche, il est un bout de Jupiter. »

Comme Mediapart le révèle, le sémillant barbu qui débarque à Matignon a aussi ses zones d'ombre. De 2007 à 2010, il a été le directeur des affaires publiques d'Areva. Autrement dit lobbyiste. Entre les déboires de l'EPR, le gouffre UraMin et le scandale des mines au Niger, c'est la période noire pour le groupe nucléaire, celle qui le mènera à la faillite. Lorsque Édouard Philippe arrive, la direction se déchire. Chacun cherche à s'affranchir de ses responsabilités. Caroline Rossigneux, l'une de ses anciennes stagiaires, assure que son patron ne s'occupait pas de ces dossiers brûlants. « Durant la période où j'y étais, nous ne parlions pas d'UraMin ou des difficultés de l'EPR », jure-t-elle. Alors qu'au sein d'Areva tous les directeurs s'affolent des risques de faillite, Édouard Philippe écrit des discours, fait illuminer la tour Eiffel, mais ne sait donc rien de ce qui se passe dans sa maison ? Comment expliquer dans ce cas que Charles Hufnagel, son actuel directeur de communication à Matignon, déjà très proche de lui à cette époque, se retrouve, lui, au cœur de la mêlée[1] ? D'après *Le Journal du dimanche*, la présence d'Édouard Philippe dans l'enquête judiciaire en cours sur la présidence d'Anne Lauvergeon, ex-dirigeante d'Areva, a été discrètement vérifiée avant sa nomination à Matignon. « Réponse négative », écrit l'hebdomadaire. Nombre de salariés semblent en tout cas avoir découvert ses fonctions très récemment. « Vous n'avez pas interrogé les bonnes personnes », nous a répliqué Charles Hufnagel.

« Assez fier » d'avoir travaillé chez Areva, Édouard Philippe cultive toutefois une grande discrétion à propos de son salaire d'alors. Il a même écopé d'un blâme de la Haute Autorité pour la transparence de la vie publique (HATVP) après avoir refusé de fournir certaines informations sur sa déclaration de patrimoine en 2014. Il semblerait que les citoyens n'aient pas le droit de savoir combien il a gagné comme lobbyiste d'Areva, de connaître le montant de ses indemnités d'élu local, ni même ses honoraires dans un cabinet d'avocats d'affaires en 2011 et 2012. « Je ne suis pas certain de comprendre la question », écrit-il sur son formulaire. Prié d'inscrire la valeur de ses biens immobiliers, il élude d'une pirouette : « Aucune idée. » Son appartement à Paris ? « Aucune idée. » Ses parts dans une résidence de Seine-Maritime ? Même réponse. Son bien en Indre-et-Loire ? Idem. À peine mentionne-t-il les prix d'achat, certains en francs ! Malgré une relance de la HATVP, il s'est refusé à toute estimation actualisée. À l'époque, Édouard Philippe vient, comme tous les

1. Des emails en notre possession en attestent.

élus de droite, de refuser les lois sur la transparence votées après le scandale Jérôme Cahuzac, ministre du Budget dont Mediapart a révélé le compte suisse caché. « Comme beaucoup de parlementaires sans doute, j'ai essayé de concilier le respect de la loi et une forme de mauvaise humeur », concède-t-il aujourd'hui. À l'arrivée, il se retrouve parmi les vingt-trois députés ou sénateurs (sur 1 048) dont la déclaration de patrimoine est alors assortie d'une « appréciation » de la HATVP. Sans conséquence judiciaire ni financière, cet avertissement est réservé aux « manquements d'une certaine gravité ». Trois ans plus tard, c'est lui qui est chargé de faire voter la grande loi de moralisation politique promise pendant la campagne.

3.

La République des gens qui vont bien

Son premier gouvernement formé, le nouveau Premier ministre part défendre aux législatives les candidats de La République en marche : c'est le nouveau nom du parti présidentiel. Ses amis de droite « constructifs » (c'est ainsi qu'ils se baptisent) ne se voient opposer aucun adversaire macroniste. Et le 18 juin, Emmanuel Macron peut savourer la victoire. Avec trois cent neuf élus, son parti obtient la majorité absolue. « Par leur vote, les Français ont, dans leur grande majorité, préféré l'espoir à la colère, l'optimisme au pessimisme, la confiance au repli », se félicite Édouard Philippe. En réalité, « dans leur grande majorité », les Français ont surtout boudé les urnes. Ce soir-là, l'abstention est historiquement élevée : 57 %, près de deux tiers des électeurs ! Vingt millions des inscrits seulement ont voté, et parmi eux deux millions ont déposé un bulletin blanc ou nul. Les vingt-sept autres millions ne se sont pas déplacés. Un niveau de désintérêt jamais atteint aux législatives. « Le gouvernement l'interprète comme une ardente obligation de réussir », commente Édouard Philippe. Pour ses anciens amis des Républicains, la défaite est rude :

eux qui ont passé le quinquennat de François Hollande à rêver d'alternance n'obtiennent que quatre-vingt-quinze sièges. Avec trente-quatre sièges, les « macron-compatibles » issus de Les Républicains ou de l'UDI s'émancipent et créent leur groupe. Le Parti socialiste, lui, n'a que vingt-huit élus, dix fois moins que dans l'Assemblée sortante : une débâcle historique, pire encore que les basses eaux de 1993. Plusieurs figures du quinquennat sont battues, comme Myriam El Khomri, Najat Vallaud-Belkacem ou Jean-Jacques Urvoas. « La déroute du Parti socialiste est sans appel », constate son premier secrétaire, Jean-Christophe Cambadélis. Battu à Paris par le jeune secrétaire d'État Mounir Mahjoubi, il démissionne de la tête du parti. Avec dix-sept élus, dont Jean-Luc Mélenchon à Marseille et plusieurs cadres, La France insoumise dispose d'une tribune de choix pour contester la politique du gouvernement. Fâché avec La France insoumise, le Parti communiste français allié à des élus ultramarins crée lui aussi son propre groupe. Pas le Front national, qui n'obtient que huit élus, dont Marine Le Pen, à Hénin-Beaumont. Face à cette majorité absolue, l'opposition est éparpillée.

Dans le nouvel hémicycle, la promesse du « renouvellement » est en apparence tenue. Beaucoup de nouveaux députés n'ont jamais été élus. L'âge moyen (48,7 ans) de l'Assemblée passe pour la première fois au-dessous des cinquante ans. Cent quarante-six députés ont moins de quarante ans. Ils n'étaient que cinquante-cinq dans la précédente Assemblée. Le député le plus jeune, le frontiste Ludovic Pajot, élu dans le Pas-de-Calais, a vingt-trois ans. Avec trois députés de moins de trente ans, La France insoumise est en proportion le groupe le plus jeune. La majorité La République en marche/ Modem (le parti de François Bayrou remporte quarante-trois sièges, sa meilleure performance) comprend vingt-huit élus n'ayant pas encore soufflé leurs trente et une bougies. Autre progrès notable : avec 224 femmes pour 353 hommes, cette assemblée est la plus féminine de la Ve République mais avec 38,8 % de femmes (contre 26,9 % en 2012 et 18,5 % en 2007), elle n'est toujours pas paritaire. À y regarder de près, la « révolution démocratique » atteint donc ses limites.

Si les visages changent, l'Assemblée reste le lieu d'une forte reproduction sociale : 54 % des élus sont cadres du privé, dirigeants d'entreprise ou exercent des professions libérales. Ouvriers et employés, qui représentent la moitié de la population active, restent très largement sous-représentés. C'est particulièrement le cas de la nouvelle majorité. La « société civile » d'Emmanuel Macron est plutôt élitiste et très CSP + : c'est la République des gens qui vont bien. La liste des quelque trois cents élus macronistes passée au peigne fin par Mediapart fait apparaître soixante cadres du privé (supérieurs ou non), vingt-huit chefs d'entreprise et industriels, vingt personnes issues des professions libérales, douze médecins, vingt-six hauts fonctionnaires de catégorie A, vingt-cinq professeurs d'université et du secondaire, mais aussi d'anciens collaborateurs d'élus Les Républicains, Parti socialiste ou Modem. Il n'y a qu'une poignée d'employés et d'agriculteurs. Le seul candidat ouvrier a été battu dans les Vosges. Avant le vote, le sociologue Luc Rouban a pointé la « fermeture sociale » des candidats La République en marche sur l'électorat bourgeois, urbain et diplômé d'Emmanuel Macron[1]. Une forte limite au « renouvellement », censé garantir que les élus ne soient pas les « représentants d'une oligarchie qui s'autoproduit ». Rien de très étonnant : le président de la commission nationale d'investiture, l'ancien ministre chiraquien Jean-Paul Delevoye, explique que les candidats macronistes ont été sélectionnés parmi les dix-neuf mille candidatures reçues sur CV, au terme d'entretiens téléphoniques le plus souvent, pour leur « connaissance du programme et leur capacité à le porter, leur imprégnation locale, leur capacité opérationnelle de faire une campagne ». Autrement dit, ceux qui ont été retenus sont de petits managers locaux, connus sur leur territoire et disposant de temps. Ce « recrutement direct » n'a profité « qu'à des personnes déjà suffisamment dotées en ressources sociales pour tenter l'aventure électorale », déplore Luc Rouban. Le parti présidentiel admet que, « parmi les dossiers reçus, il y avait une forte représentation de dirigeants et de cadres du privé ». Autre explication proposée : le « coût d'une campagne, entre 20 000 et 30 000 euros », que le candidat doit avancer. Un obstacle de taille pour les moins aisés.

À Paris, où En Marche a déboulonné plusieurs élus Les Républicains ou Parti socialiste, la dizaine de nouveaux élus macronistes étonne en tout cas par leur homogénéité sociale. Pas tous des novices en politique, ils sont souvent passés par les meilleures écoles avant, pour beaucoup, de créer leur entreprise. Élu dès le premier tour, Sylvain Maillard, quarante-trois ans, a

1. *La Note du Cevipof*, juin 2017.

créé une entreprise de distribution de composants électroniques. Le nouveau chargé de la communication du groupe à l'Assemblée nationale, Gilles Le Gendre, cinquante-neuf ans, vainqueur face à Nathalie Kosciusko-Morizet, a dirigé les rédactions du *Nouvel Économiste*, de *L'Expansion* et de *Challenges* avant de devenir directeur de la communication de la Fnac puis consultant. Référent départemental à Paris, présentateur du « Macron show » au Louvre le soir du 7 mai 2017, Stanislas Guerini, l'ami du trésorier Cédric O, directeur de « l'expérience client » au sein d'un groupe de douze mille salariés, est passé par la très élitiste École alsacienne, le lycée Henri-IV et HEC. Pierre Person, le cofondateur des Jeunes avec Macron, vingt-huit ans, est diplômé de droit, spécialiste du droit des affaires et de la construction. Maire adjoint du IVe arrondissement de Paris élu sur une liste socialiste, Pacôme Rupin, trente-deux ans, a été président du bureau des élèves de son école de commerce, l'Essec. Il est coach en « orientation, concours, insertion, évolution, transition » et a fait ses études au très sélect lycée catholique privé Saint-Jean-de-Passy, dans le XVIe arrondissement de Paris. Élue face à la socialiste Sandrine Mazetier, Laetitia Avia, trente et un ans, est une avocate d'affaires qui a rencontré Emmanuel Macron lorsque celui-ci fut, après la commission Attali, rapporteur de la commission Darrois sur les professions du droit. Victorieuse face au patron de la droite parisienne Philippe Goujon, Olivia Grégoire, trente-huit ans, diplômée de Sciences-Po Paris et de l'Essec, ex-directrice du pôle conditionnement de Saint-Gobain, a créé son propre cabinet de « conseil en stratégie d'influence circulaire ». Mounir Mahjoubi, tombeur de Jean-Christophe Cambadélis et secrétaire d'État au numérique, est diplômé de Sciences-Po Paris et a fréquenté l'université new-yorkaise Columbia. Ancien patron du Conseil national du numérique nommé par François Hollande (il fut très actif dans les campagnes présidentielles de Hollande et, auparavant, de Ségolène Royal), il a créé plusieurs start-up et a été directeur adjoint de l'agence BETC digital. À l'Assemblée nationale, c'est sa suppléante, Delphine O, qui siège : cette multidiplômée est aussi la sœur du trésorier de la campagne.

Dans la nouvelle Assemblée, il y a aussi ces parcours qui interrogent. Les anciens lobbyistes comme Hugues Renson et Benjamin Griveaux à Paris (EDF, Unibail) ou Mickaël Nogal à Toulouse (Orangina) sauront-ils établir une distinction entre les intérêts qu'ils pouvaient défendre et leur mandat ? Nouveau président de l'influente commission des affaires économiques de l'Assemblée, l'actuel député des Français d'Amérique du Nord Roland Lescure, qui a financé la campagne d'Emmanuel Macron à hauteur de 1 200 euros, était jusqu'en avril premier vice-président de la Caisse de dépôt et placement du Québec, l'un des plus gros fonds de pension nord-américain. À ce poste, il a régulièrement investi, en tant que responsable des placements, dans des paradis fiscaux comme les îles Vierges, les îles Caïmans ou les Bermudes. À l'Assemblée, il n'aura pas à s'occuper des sujets de régulation financière. Mais cet ancien banquier, passé chez Natixis et Groupama, devra par exemple traiter les questions liées au crédit et au financement de l'économie par les banques. Réfléchira-t-il alors avec l'intérêt général en tête ? Il assure à Mediapart qu'il sera « un député-député, pas un député-investisseur ».

Nouveau vice-président de la commission des finances de l'Assemblée nationale, Laurent Saint-Martin, référent d'En Marche dans le Val-de-Marne et ancien secrétaire général du think tank social-libéral En temps réel, où Macron compte de nombreux amis, fera-t-il la part des choses lorsqu'il sera question de ses anciens employeurs, la Banque publique d'investissement et Euronext, le premier opérateur financier de la zone euro ? La question risque de se poser souvent ! D'autant qu'Emmanuel Macron, issu du monde bancaire, ne paraît pas un foudre de guerre de la régulation financière. Conseiller à l'Élysée, il a œuvré avec Bercy pour vider la loi de séparation bancaire de toute substance. Pendant la campagne, il a proposé de confier la régulation financière élaborée après le cataclysme financier de 2008 aux ministres des Finances européens, un cénacle bien peu transparent. Exactement ce que souhaitent les banquiers et les assureurs.

D'autres élus, eux, ont une conception assez élastique de l'exemplarité. Mediapart révèle ainsi que le député radical de gauche Alain Tourret, réélu sous la bannière macroniste dans le Calvados, a utilisé son indemnité représentative de frais de mandat (IRFM) pour des dépenses très personnelles : une télévision, un fauteuil, des tickets de cinéma, des parties de golf, des dépenses au Club Med du Sénégal ou à l'hôtel La Paillotte, en Casamance, « entre plages, forêts et mangroves ». L'élu a remboursé 16 000 euros à l'Assemblée nationale. Nous n'avons pu éplucher que onze mois de dépenses sur cinq années de législature (2012-2017) : un examen élargi de son compte d'indemnité représentative de frais de mandat par l'Assemblée nationale semble donc indispensable. Mais depuis nos révélations en mai, rien n'a été fait.

Nous avons aussi pointé les pratiques fiscales de Bruno Bonnell. Candidat dans le Rhône, ce proche de Gérard Collomb a joué un rôle pivot dans la campagne. Apôtre médiatique de la robotique, il est le référent d'En Marche dans le Rhône, mais aussi un précieux rabatteur de dons. Selon un jugement de divorce du tribunal de Lyon datant de 2011, ce patron souvent cité en exemple, interlocuteur de tous les ministres de l'Économie, « a entièrement restructuré son patrimoine, y compris en utilisant judicieusement un endettement qui pourrait être qualifié de colossal, afin d'éluder l'impôt de solidarité sur la fortune d'abord et l'impôt sur le revenu ». Il a par ailleurs été sanctionné par l'Autorité des marchés financiers, le gendarme de la Bourse, pour avoir artificiellement fait varier le cours de l'action de la société Infogrames lorsqu'il en était le patron en faisant acheter et revendre des paquets d'actions sans que l'Autorité des marchés financiers n'en soit informée. Bruno Bonnell, qui incarna le patron intraitable dans l'éphémère version française de « The Apprentice », le show télé qui fit connaître Donald Trump aux États-Unis, est par ailleurs propriétaire de deux sociétés, BB 26 et Navya, basées dans le paradis fiscal du Delaware, petit État de la côte Est des États-Unis qui compte plus d'entreprises que d'habitants. Et pour cause : les taxes y sont inexistantes, aucune activité réelle n'est exigée et le nom des propriétaires des sociétés n'est pas demandé. « Le Delaware n'est pas qu'un paradis fiscal, c'est aussi un lieu où l'on peut monter des sociétés rapidement », rétorque Bruno Bonnell. Et, surtout, dans la plus grande discrétion. Autre élu problématique, Romain Grau, ex-camarade de l'Ena d'Emmanuel Macron et adjoint au maire Les Républicains à Perpignan, visé par une enquête préliminaire pour « harcèlement moral » contre les dirigeants de New EAS, sa société de maintenance aéronautique. Élu député Français de l'étranger pour l'Europe centrale, Frédéric Petit prétend qu'il a été maire d'un village de Moselle alors que cela n'a jamais été le cas. En Haute-Garonne, la nouvelle députée Corinne Vignon est sous le coup d'une enquête préliminaire : le fisc la soupçonne d'exercice illégal de la voyance. Désormais députée de l'Eure, la commerçante Claire O'Petit, figure de l'émission « Les Grandes Gueules » sur RMC, qui dit « être très souvent au téléphone » avec Brigitte Macron, est quant à elle sous le coup d'une interdiction de « diriger, gérer, administrer ou contrôler directement toute entreprise commerciale ou artisanale, toute exploitation agricole ou toute personne morale [...] pour une durée de cinq ans ». Le comble, alors qu'un député doit aussi gérer une petite PME parlementaire avec une permanence et des collaborateurs. Élu en Guadeloupe, Olivier Serva jugeait en 2012 que le mariage des couples de même sexe était « intolérable », un « péché », et qualifiait l'homosexualité d'« abomination », comme Christine Boutin. Lorsque ces propos ont été exhumés, le parti a protesté mais son investiture a été maintenue, comme celle de candidats inquiétés par la justice.

Mardi 20 juin 2017, c'est le jour de la rentrée à l'Assemblée. Les nouveaux députés défilent un par un :

on leur remet la sacoche du député avec la carte SNCF qui leur permet de voyager gratuitement, et ils découvrent l'hémicycle. Face aux médias, les macronistes ne sont pas farouches. Dans les jardins, Sonia Krimi, victorieuse à Cherbourg, dans la circonscription de l'ancien Premier ministre Bernard Cazeneuve, joue et rejoue pour les caméras la scène du déballage de la mallette parlementaire, qui contient un règlement de l'Assemblée nationale et la cocarde du député. « Marcheuse depuis septembre 2016 », cette Franco-Tunisienne de trente-quatre ans, fille d'un ouvrier de chez Peugeot, a battu au second tour le candidat labellisé En Marche. La voilà réintégrée comme « apparentée » au groupe majoritaire (comme l'ancien Premier ministre Manuel Valls, qui annonce son départ du Parti socialiste). Aux journalistes, elle dit des phrases *corporate* et étonnantes, comme « l'ascenseur social est en marche ». Député La République en marche proche de Bruno Le Maire, François Jolivet, élu Les Républicains en Indre-et-Loire, pose fièrement pour les journalistes locaux qui l'accompagnent, l'écharpe bleu-blanc-rouge en travers du costume. Pas tout à fait un bleu : au début des années 1990, il a été l'assistant parlementaire au Sénat de François Gerbaud, journaliste à l'ORTF devenu parlementaire gaulliste puis RPR. Il bombe le torse : « Je connais bien le droit parlementaire. » Dans les couloirs, un agent de l'Assemblée relativise les grandes ambitions des uns et des autres : « On sait comment c'est : la loi, c'est cent députés qui la font et les autres qui appuient sur le bouton. »

Comment gérer cette future majorité constituée en partie de novices, issue d'un parti créé il y a un an à peine ? Leur apprendre les rouages du Parlement ? Gérer les impatiences, les ego et les frustrations maintenant que le cumul avec un mandat dans un exécutif local est impossible ? En coulisses, ces questions ont taraudé les experts d'En Marche avant même l'élection d'Emmanuel Macron. Aux premiers jours du mois d'avril, quatre d'entre eux adressent une note confidentielle à Cédric O, le trésorier d'En Marche. Ils évoquent une situation « périlleuse », insistent sur la nécessité d'un « fort encadrement politique », d'« une régulation politique conséquente ». Ils proposent un « séminaire de groupe » pour « engager une démarche team building ». « D'une certaine façon, écrivent ces conseillers, tous passés par les cabinets de l'ère Hollande, le quinquennat qui s'achève a mis en évidence tout ce qu'il ne faut pas faire : l'Élysée qui ne tranche pas, Matignon qui n'ose pas gouverner, des ministres novices et mis sous la tutelle de leur cabinet, des directeurs de cabinet pas assez politiques, des administrations centrales sans cap et des dirigeants publics qui n'y croient pas, une majorité parlementaire divisée. Il est important de définir un nouveau cadre d'action pour commencer le mandat dans de bonnes conditions. »

Dès sa constitution, le groupe La République en marche est donc géré d'une main de fer. Le 24 juin, le fameux séminaire « team building » a bien lieu. Il dure deux jours, à l'hôtel de Lassay, où se trouvent les bureaux du président de l'Assemblée nationale. Un choix contesté : alors que l'élection au « perchoir » n'a pas eu lieu, les députés La République en marche prennent déjà leurs aises. Le Premier ministre, Édouard Philippe, doit faire face à des centaines de députés qu'il ne connaît pas. Il se retrouve à « animer » une majorité mosaïque, composée de profils divers, issus du Parti socialiste, des Républicains, et souvent de nulle part. Beaucoup doivent leur élection à Emmanuel Macron et ne jurent que par lui. Le président du groupe est élu à main levée. Il s'agit de Richard Ferrand. Le secrétaire général d'En Marche vient d'être exfiltré du gouvernement après des révélations sur ses conflits d'intérêts. Il donne vite le ton, réclame une « discipline collective », désigne les nouveaux vice-présidents et porte-parole validés par le groupe... à main levée eux aussi. Au moment de présenter ces derniers à la presse, il ne leur donne même pas la parole. Parti d'Europe-Écologie–Les Verts, dont il dénonçait la « dérive gauchiste », ancien candidat à la primaire du Parti socialiste qui a refusé de soutenir Benoît Hamon, le député écologiste François de Rugy est choisi pour être le candidat de la majorité à la présidence de l'Assemblée nationale. Il devient le plus jeune président de l'Assemblée nationale sous la Ve République. Encore une fois, le « perchoir » échappe à une femme alors que deux ex-députées socialistes, Brigitte Bourguignon et Sophie Errante, se présentaient contre lui. Bien vite, la consigne est passée : silence dans les rangs. À l'heure d'examiner les amendements de la loi d'habilitation des ordonnances sur la loi travail, les députés La République en marche ne bronchent pas. En plein examen de la loi de moralisation de la vie politique, la nouvelle présidente de la commission des lois, l'avocate Yaël Braun-Pivet, se plaint d'un groupe « qui dort, qui ne sait pas monter au créneau, qui est vautré ». Sur ce texte, les députés de la majorité ne font guère preuve d'initiative. Le règlement intérieur appliqué par le patron Richard Ferrand est implacable : aucun amendement minoritaire au sein du groupe n'est déposé car il risquerait d'être voté par l'opposition. Par manque de temps, d'idées, et d'esprit d'indépendance, ils ne retiennent guère les avancées proposées par les sénateurs, comme la possibilité de mieux encadrer les conflits d'intérêts des ministres ou les passages entre le public et le privé des personnalités exerçant des « fonctions d'intérêt général ». Et, lorsqu'ils s'aventurent à proposer la nécessité d'avoir un casier judiciaire vierge pour les candidats aux élections, une promesse d'Emmanuel Macron tombée en disgrâce au sein de l'exécutif, Richard Ferrand s'empresse de brandir un « risque de censure du Conseil constitutionnel » pour les faire rentrer dans le rang. Voilà enterrée, au passage, une des promesses-phares de la campagne. Décidément, le grand souffle démocratique se fait attendre.

4.

Des ministres public-privé

Dix-huit ministres, quatre secrétaires d'État. Tout de suite, des noms qui claquent : le célèbre Nicolas Hulot est bombardé numéro trois du gouvernement, ministre de la Transition écologique et solidaire, ministre d'État. Françoise Nyssen, la fondatrice des éditions Actes Sud, est nommée ministre de la Culture ; l'escrimeuse Laura Flessel, quintuple médaillée olympique, arrive aux Sports. Le 17 mai, le gouvernement « Philippe I » est annoncé. Seuls quatre ministres l'ont été auparavant : François Bayrou (Modem) à la Justice ; Bruno Le Maire (Les Républicains) à l'Économie ; les deux ministres « hollandais » Jean-Yves Le Drian (à la tête d'un empire « de l'Europe et des Affaires étrangères ») et Annick Girardin (aux Outre-Mer). En revanche, seuls deux des vingt-deux ministres et secrétaires d'État sont issus des minorités visibles. Et, si le gouvernement est paritaire, les femmes sont exclues des principaux postes régaliens : dans le gouvernement Philippe, ce sont les hommes qui gèrent. Le président de la République avait promis de créer « un ministère plein et entier des droits des femmes ». La fondatrice du réseau Maman travaille, Marlène Schiappa, jusqu'alors responsable du « pôle égalité femmes-hommes » d'En Marche, hérite d'un simple secrétariat d'État.

À côté des nouvelles têtes, il y a ceux que le président appelle des « figures d'expérience ». À l'Intérieur, le maire cumulard de Lyon Gérard Collomb, soixante-neuf ans, jamais ministre mais élu pour la première fois député en 1981 ; François Bayrou, soixante-six ans, l'« allié » de Macron, conseiller général dès 1982 et trois fois candidat à la présidentielle ; Jean-Yves Le Drian, soixante-neuf ans, maire de Lorient en 1981. Des ministres ont été rattachés à d'autres ministres, une coquetterie qui permet de ne pas froisser les susceptibilités. On débusque des curiosités sémantiques : le ministère de l'Europe, qui remplace les Affaires européennes ; le ministère de la Cohésion des territoires pour Richard Ferrand ; l'Action et les Comptes publics pour Gérald Darmanin, pudding ministériel incluant la réforme de l'État, la fonction publique, la modernisation de l'action publique et le budget. Il y a surtout des disparitions d'intitulés : exit les ministères des Familles, des Affaires sociales, de la Ville, du Logement, de la Fonction publique, de la Jeunesse et même des Finances ! Une vraie rupture historique, puisque ce portefeuille-là existait sans discontinuer depuis la Restauration. Quel sens faut-il donner à cette suppression ? Le gouvernement renoncerait-il à tout pilotage macroéconomique au profit d'une seule logique comptable ? Regrouper sous le même intitulé la gestion de la fonction publique et de l'action publique dans son ensemble renvoie en tout cas à l'idée que la dépense publique est forcément suspecte et n'a vocation qu'à entrer dans le cadre étroit des grands équilibres.

Avec deux personnalités Les Républicains nommées à Bercy, le signal est d'ailleurs donné : la politique économique sera menée à droite. Quelques mois plus tôt, le nouveau ministre de l'Économie Bruno Le Maire, alors candidat à la primaire de la droite, voulait entrer « dans le dur » de la réduction des dépenses publiques, et « assumer de vrais choix et de vrais abandons ». Il promettait 85 à 90 milliards d'euros d'économies en cinq ans, la suppression de l'impôt sur la fortune, l'abaissement des impôts sur le capital et sur les successions, la fin du monopole syndical et des emplois « temporairement rémunérés en dessous du Smic » pour les allocataires du RSA de plus de cinquante ans. Une resucée du contesté Contrat première embauche (CPE), dont il avait été l'inspirateur comme directeur de cabinet de Dominique de Villepin à Matignon en 2006. On connaît la suite : des manifestations monstres et une énorme reculade. Dès la passation de pouvoirs, Bruno Le Maire reprend une métaphore économique appréciée des défenseurs de l'orthodoxie budgétaire (mais erronée[1]) : « Dans une famille, on ne dépense pas plus d'argent qu'on n'en gagne, je souhaite qu'en France, ce soit exactement la même chose. » Quant au sarkozyste Gérald Darmanin, guère réputé pour ses compétences en économie, il s'est surtout fait connaître pour sa virulence contre le mariage des couples de même sexe. Sur son centre-gauche,

1. Notamment parce que « l'horizon temporel d'un État est bien plus long : il peut plus facilement rembourser ses anciennes dettes avec de nouveaux emprunts », souligne l'économiste Christian Chavagneux (*Alternatives économiques*, 18 mai 2017).

Emmanuel Macron a nommé des fidèles d'En Marche : Gérard Collomb, le radical de gauche Jacques Mézard, Christophe Castaner (aux relations avec le Parlement, et comme porte-parole de l'Élysée), Mounir Mahjoubi (secrétaire d'État au Numérique), Marlène Schiappa (secrétaire d'État chargée de l'égalité entre les femmes et les hommes, adjointe au maire socialiste du Mans). La seule vraie « ouverture » vers la gauche est l'éditrice éclectique et engagée Françoise Nyssen, qui publie de grands auteurs étrangers, mais aussi Pierre Rabhi ou Naomi Klein. Avec ce gouvernement, Emmanuel Macron souhaitait matérialiser cette « coalition des "progressistes" » qu'il appelle de ses vœux, alliant « la social-démocratie, l'écologie réaliste, les radicaux de gauche et de droite et le gaullisme social, la droite orléaniste, le centre droit européen ». Le pari n'est qu'à moitié réussi : « Philippe I » est plutôt une « petite coalition » constituée de personnalités qui naviguent entre le centre gauche et la droite dure.

Pendant la campagne, le candidat avait fixé la feuille de mission de ses futurs ministres. C'était à Londres en février, devant les expatriés français. Ce jour-là, le discours était digne d'un séminaire d'entreprise. « Moi, mes ministres, ils auront une responsabilité politique et, tous les ans, ils répondront des économies que je leur demande de faire. Comme dans une entreprise, un patron d'unité qui ne sait pas faire d'économies, il ne reste pas. » Les ministres sont des managers. Qu'ils viennent du privé est même un atout. « Jamais je ne me priverai d'un talent parce qu'il vient du secteur privé, jamais, disait-il. Sinon, nous rentrons dans un système qui est totalement fermé. Il faut utiliser les gens pour leurs talents. » La composition du gouvernement illustre bien ce principe, qui ne va pas sans poser des difficultés. Nommé à l'Éducation nationale, Jean-Michel Blanquer est le directeur du groupe Essec, prestigieuse école de commerce dont les frais de scolarité s'élèvent à 13 500 euros par an, et l'ancien directeur de l'administration centrale de l'enseignement scolaire sous Nicolas Sarkozy ; la ministre du Travail Muriel Pénicaud, formée dans l'administration, est l'ancienne directrice des ressources humaines de Danone et de Dassault[1] ; la ministre de la Santé Agnès Buzyn a travaillé pour des laboratoires pharmaceutiques ; le ministère des Transports est occupé par Élisabeth Borne, patronne de la RATP, ancienne conseillère de plusieurs ministres socialistes, ex-directrice des concessions autoroutières d'Eiffage. Ces ministres « public-privé » vont-ils défendre l'intérêt général ? Ou l'intérêt de leurs précédents employeurs, qui les ont rémunérés pendant des années, leur ont permis de faire carrière, ont imprégné leur réflexion ? Le fait qu'un doute existe caractérise déjà un conflit d'intérêts. Pour plusieurs ministres, la question se pose. Emmanuel Macron leur a demandé de déclarer au secrétariat général du gouvernement et à la Haute Autorité pour la transparence de la vie publique une déclaration exhaustive de tous les intérêts et des affaires qu'ils ont eu à connaître dans les cinq années précédentes. Précaution suffisante ? C'est à voir.

1. Le quotidien *L'Humanité* révèle le 27 juillet qu'alors DRH de Danone, elle a réalisé en 2013 une plus-value de 1,3 million d'euros à la suite d'une vente de stock-options exercée juste après une restructuration qui devait mener à la suppression de neuf cents postes.

Prenons le cas le plus emblématique, celui d'Agnès Buzyn, la nouvelle ministre de la Santé, qui a travaillé pour des laboratoires pharmaceutiques. L'ancienne présidente de la Haute Autorité de santé n'a jamais caché tout le mal qu'elle pense de la loi Bertrand, adoptée en décembre 2011 à la suite du scandale du Mediator, qui visait à mieux prévenir les conflits d'intérêts et à renforcer l'indépendance des experts sanitaires. « L'industrie pharmaceutique joue son rôle, et je n'ai jamais crié avec les loups. Il faut expliquer que vouloir des experts sans aucun lien avec l'industrie pharmaceutique pose la question de la compétence des experts », lançait-elle en février 2013 suivant l'argument classique des laboratoires. Quand elle était vice-présidente de l'Institut national contre le cancer, entre 2009 et 2011, Agnès Buzyn, médecin de cinquante-quatre ans, spécialiste de la greffe de moelle osseuse, participait aux conseils d'administration des laboratoires Novartis et Bristol-Myers Squibb. Logique si l'on considère, comme elle, que la compétence des experts est corrélée à leur degré de dépendance à l'égard des industriels. Pour le Formindep, un collectif de médecins qui cherche à favoriser une formation et une information médicales indépendantes, « avec Agnès Buzyn, on est au-delà du conflit d'intérêts. Pour elle, l'indépendance de l'expertise n'est pas une valeur en soi ni un devoir. Elle l'a au contraire publiquement décrite comme un véritable handicap. Sa conception de l'expertise sanitaire est datée, c'est celle des mandarins, reposant sur l'argument d'autorité ex cathedra, et non par une médecine fondée sur les preuves scientifiques. »

Et que penser de la situation de Muriel Pénicaud ? La nouvelle ministre du Travail présente le visage idéal de la « macronie », issue de la société civile, version experte des relations sociales dans l'entreprise, avec une expérience de la fonction publique. L'incarnation parfaite du partenariat public-privé. Après une première partie de carrière comme administratrice territoriale et un passage au cabinet de Martine Aubry (1991-1993), elle rejoint Danone, dont elle deviendra la directrice des ressources humaines entre 2008 et 2014 après un aller-retour chez Dassault Systems, où elle a également occupé le poste de directrice des ressources humaines. Depuis janvier 2015, elle avait pour mission de vendre les entreprises françaises à l'étranger, comme directrice générale de Business France – une chambre de commerce XXL chargée d'attirer les investisseurs étrangers et d'aider les entreprises nationales à exporter –, tout en restant membre du conseil d'administration d'Aéroports de Paris après avoir été administratrice d'Orange entre 2011 et 2014. Muriel Pénicaud défend de longue date une réduction du coût du travail et l'allégement de la fiscalité des entreprises « afin de pouvoir faire jouer à plein nos atouts ». Nommée ministre, elle déclare même que « le code du travail n'est fait que pour embêter 95 % des entreprises ».

Dans un autre registre, la ministre de la Culture Françoise Nyssen, éditrice et libraire à succès d'Actes Sud, est elle aussi un visage idéal de la « macronie ». Saura-t-elle agir au nom de l'intérêt public et pas comme femme d'affaires ? « Françoise Nyssen a pris ses dispositions pour suspendre son activité et sa rémunération complémentaire de présidente de notre directoire », assure sa maison. Quant au nouveau secrétaire d'État au Numérique, Mounir Mahjoubi, qui a dirigé la campagne Web d'Emmanuel Macron, il est, à trente-trois ans, un serial entrepreneur du numérique. Au gouvernement, il aura forcément à arbitrer des dossiers impactant l'un ou l'autre de ses clients, ex-clients, partenaires ou associés. Que ce soit en matière de protection des données personnelles, de la vie privée, d'innovation ou de fiscalité, il évoluera dans un secteur où il a tissé de très nombreux liens. Le nouveau secrétaire d'État au Numérique risque aussi d'être rattrapé par ses anciennes déclarations. En tant que président du Conseil national du numérique, il s'est posé en défenseur des libertés numériques. Sous son mandat, le conseil a notamment rendu plusieurs avis particulièrement critiques sur le fichier biométrique des cartes d'identité (TES), dont il demandait la suspension. Se désolidarisera-t-il au cas où le gouvernement souhaiterait encore accroître la surveillance, créer de nouveaux fichiers ou légiférer sur le chiffrement des communications ?

Dans ce gouvernement, enfin, il y a un ministre à part, Nicolas Hulot, la vraie surprise du casting et, surtout, une belle prise pour Emmanuel Macron. Pendant la campagne, l'ancien animateur de télévision, devenu le plus médiatique des porte-voix du combat contre le réchauffement climatique, avait salué la conversion écologique de Benoît Hamon et le programme de Jean-Luc Mélenchon. Mais il avait éreinté celui d'Emmanuel Macron, dont le bilan au ministère de l'Économie est très défavorable à l'écologie[1]. D'ailleurs,

1. Il fut l'un des plus fervents défenseurs du réacteur EPR

le nouveau chef de l'État, chantre de la « start-up nation » et de l'esprit d'entreprise, n'a jamais mis la lutte contre les dérèglements climatiques au faîte de ses priorités. Alors que Mediapart questionnait en avril 2017 Nicolas Hulot sur une éventuelle entrée au gouvernement, il avait botté en touche : « Honnêtement, je n'ai pas imaginé cette hypothèse. Je ne sais pas, vraiment, je verrai le moment venu. » Finalement, après avoir refusé deux maroquins sous François Hollande, il a dit oui. L'ancien animateur, âgé de soixante-deux ans, espère que « la nouvelle donne politique » lui offrira « une nouvelle opportunité d'action ». « Ceux qui me connaissent savent qu'être ministre n'est pas pour moi un objectif en soi. L'urgence de la situation m'impose de tout tenter pour faire émerger le nouveau modèle de société que nous appelons collectivement de nos vœux », justifie-t-il. Avant d'accepter, Nicolas Hulot a « longuement discuté » avec Emmanuel Macron. Le fil a été maintenu par la présence de plusieurs de ses proches au sein d'En Marche, comme Jean-Paul Besset, Daniel Cohn-Bendit ou Matthieu Orphelin. Par sa pratique politique et sa vision de l'écologie, Nicolas Hulot est certes très « Macron compatible ». Il ne s'est jamais fixé sur l'axe droite-gauche, travaillant aussi bien avec Jean-Louis Borloo et Nicolas Sarkozy lors du Grenelle de l'environnement, en 2007, et de la conférence sur le climat de Copenhague en 2009 qu'avec François Hollande et Laurent Fabius pour préparer la COP21

---

d'Hinkley Point, alors qu'une partie des dirigeants d'EDF s'y opposaient, a soutenu la rente des sociétés d'autoroutes, a validé des permis de recherche miniers en Bretagne, etc.

en 2015. Président de la Fondation Nicolas-Hulot, influent think tank qui s'est notamment battu pour l'instauration d'une fiscalité carbone, il incarne à merveille cette « société civile » mise en avant par le nouveau président de la République : associative, proche des entreprises et des élus, convaincue mais légaliste, plus négociatrice que désobéissante. Comme Emmanuel Macron, il croit aux experts et s'est entouré de brillants économistes et philosophes : Gaël Giraud, Dominique Bourg, Alain Grandjean. Ainsi que de toute une jeune génération d'ingénieurs passionnés par les enjeux climatiques, à l'image de Matthieu Orphelin, ancien porte-parole de sa fondation, élu député macroniste en juin. À l'été 2016, Nicolas Hulot avait pris son entourage de court en renonçant à se présenter à la présidentielle. En cause : des tensions au sein de son équipe de campagne, et les inquiétudes de proches au sujet de la réputation de séducteur entourant l'ancien animateur d'Ushuaïa. D'autres s'inquiétaient des folles rumeurs que pourraient faire circuler ses adversaires politiques, notamment à l'Élysée. Dès sa nomination, certains écologistes ont lancé le sablier, persuadés que le nouveau ministre ne tiendrait pas longtemps dans un gouvernement présenté comme sensible aux lobbies. De fait, Nicolas Hulot hérite de plusieurs dossiers inflammables qui peuvent constituer autant de sujets de friction dans l'exécutif, à commencer par celui de l'aéroport Notre-Dame-des-Landes, auquel il est opposé, au contraire d'Édouard Philippe. Début juin, Nicolas Hulot a nommé trois médiateurs. Chargés d'examiner « toutes les solutions », « dans le sens de l'intérêt général, avec la préoccupation d'apaiser l'ensemble des acteurs et de rétablir l'ordre public », ils rendront leurs conclusions le 1er décembre 2017. Nicolas Hulot devra aussi mettre en œuvre l'objectif de passer à 50 % de nucléaire dans la production d'électricité d'ici à 2025, comme le demande la loi de transition énergétique de Ségolène Royal. Emmanuel Macron s'est engagé à réaliser cet objectif, qui passe par la fermeture de quinze à vingt réacteurs nucléaires (sur cinquante-huit au total) dans les dix prochaines années. Une gageure : alors qu'il a eu des écologistes dans son gouvernement, François Hollande n'est même pas parvenu à fermer la centrale de Fessenheim.

5.

Le retour des affaires

« Je nommerai un gouvernement qui a vocation à durer. » Lorsqu'il prononce cette phrase, invité de Mediapart pour le dernier entretien de la campagne, Emmanuel Macron ne se doute pas de ce qui l'attend. Depuis quelques jours, son équipe a soumis des noms de ministres potentiels à la Haute Autorité de la vie publique. Le Zorro pourfendeur du « système » ne peut se permettre un scandale à la Jérôme Cahuzac ou un remake de l'affaire Thomas Thévenoud, cet éphémère ministre de François Hollande victime de « phobie administrative ». Avant l'annonce du gouvernement, les situations fiscales des promus sont passées au peigne fin. La nomination du gouvernement est même reculée d'une journée pour mener les ultimes vérifications. Comme l'a révélé Mediapart, la secrétaire d'État Marlène Schiappa est ainsi priée dès sa nomination de régler une ardoise en retard : 1 156 euros de taxe d'habitation. Lorsque le premier gouvernement de son quinquennat est annoncé, Emmanuel Macron pense la situation sous contrôle. Il n'imagine pas que les « remugles de l'ancien temps », comme il dit, remonteraient si vite à la surface.

Et que les premiers concernés seraient des piliers de sa campagne.

Le premier rattrapé par son passé est Richard Ferrand, le tout nouveau ministre de la Cohésion des territoires, l'un des grognards du macronisme. Député socialiste du Finistère élu en 2012, il a fait brièvement partie des frondeurs qui voulaient une ligne plus à gauche. Richard Ferrand s'est lié avec le nouveau ministre de l'Économie au moment de la loi Macron, dont il était le super-rapporteur. Un coup de foudre politique. L'épisode agit chez lui comme un révélateur des « blocages artificiels » de la vie politique française. « Désespéré » par le Parti socialiste, dont il déplore « l'absence de clarification idéologique », il fait partie des premiers élus à rejoindre En Marche dès l'hiver 2016. Élu, Emmanuel Macron veut le récompenser : il hérite d'un énorme ministère qui inclut notamment l'aménagement du territoire, le logement, la politique de la ville, la ruralité, les collectivités territoriales. Pour le chef de l'État, le coup est d'autant plus rude lorsque le 24 mai, dix jours après la formation du gouvernement, *Le Canard enchaîné* révèle d'étranges opérations immobilières ayant favorisé sa compagne. L'affaire remonte à 2011. Richard Ferrand n'est pas encore député mais directeur général des Mutuelles de Bretagne. Le président de cet organisme à but non lucratif cherche un bâtiment où installer son service de soins à domicile. Il est mandaté par le conseil d'administration pour signer un contrat de location avec une société civile immobilière dont la dirigeante n'est autre que la compagne de Richard Ferrand, Sandrine Doucen, une avocate brestoise. Aux yeux des

Mutuelles, c'est la solution la plus pratique et la moins chère. L'avocate réalise au passage un joli coup immobilier : sa SCI a acheté les locaux 375 000 euros. Grâce au loyer des Mutuelles, l'investissement sera vite amorti. Le bail est renouvelé par les Mutuelles trois ans plus tard. Entre-temps, Richard Ferrand, devenu député, n'est plus directeur mais « chargé de mission » de la direction, tout de même rémunéré 1 250 euros par mois.

Quand le palmipède publie son article, Richard Ferrand s'amuse d'abord d'une « pseudo-affaire » et nie tout conflit d'intérêts faute de « lien juridique ou patrimonial » avec sa compagne. Problème : il est bel et bien intervenu en personne en amont du deal passé entre Sandrine Doucen et les Mutuelles. Dès décembre 2010, c'est en effet lui, et non sa compagne, qui a « réservé » les 370 m^2 de locaux disponibles avant qu'ils ne partent aux enchères. Richard Ferrand a même signé un « compromis » avec le vendeur. Les règles ont-elles été respectées ? Oui, affirme la notaire des Mutuelles. Non, rétorque dans *Le Parisien* l'ancien bâtonnier du barreau de Brest, qui rappelle les obligations inscrites dans le code de la mutualité : non seulement les conventions auxquelles un dirigeant « est indirectement intéressé » doivent être soumises au conseil d'administration, mais le président doit saisir les commissaires aux comptes de la mutuelle afin qu'ils présentent un « rapport spécial » sur lequel l'assemblée générale est appelée à statuer. Il n'y a rien eu de tel.

Richard Ferrand dément pourtant tout intérêt matériel personnel. D'ailleurs, dit-il, « je ne suis ni marié ni pacsé avec Sandrine Doucen ». Pourtant, comme

Mediapart le découvre en feuilletant les statuts de la SCI, le couple s'est bel et bien pacsé en 2014 ! La défense de Richard Ferrand commence à prendre l'eau. Peu à peu apparaissent d'autres petits arrangements. *Le Monde* décrit comment Richard Ferrand a parfois mélangé les genres entre sa famille, ses proches, ses activités de député défendant le monde mutualiste et ses responsabilités aux Mutuelles de Bretagne[1]. Mediapart découvre que la première épouse de Richard Ferrand, une artiste peintre dont il a divorcé en 1994, a été choisie pour travailler sur l'aménagement des locaux achetés par la SCI puis a effectué d'autres prestations pour le compte des Mutuelles (elle assure que les relations avec son ex-mari « n'existent plus depuis longtemps, du fait d'anciens conflits personnels »). Nous découvrons surtout qu'en septembre 2016, alors qu'il est secrétaire général d'En Marche et proclame partout qu'il faut en finir avec les vieilles pratiques politiques, Richard Ferrand a discrètement revendu un morceau de sa permanence parlementaire à une SCI appartenant au Parti socialiste du Finistère et dénommée « Les Amis du Parti socialiste ». Ça ne s'invente pas... La permanence parlementaire en question, d'une valeur de 115 000 euros, située à Châteaulin, semble avoir été acquise juste après son élection, en 2012, avec son indemnité de frais de mandat de député. L'ex-ministre de la Cohésion des territoires aurait donc réussi une sacrée culbute : acquérir un bien immobilier avec l'aide de fonds publics, en conserver une partie à la fin de son mandat, en revendre une autre à des concurrents

1. *Le Monde*, 30 mai 2017.

politiques. Légal certes, mais pas bien éthique. Sur cette transaction, Richard Ferrand a choisi de ne jamais nous répondre. Interrogé par nos soins en juin lors d'une conférence de presse à l'Assemblée, il n'a pas démenti et s'est contenté de rappeler que l'achat d'une permanence avec l'indemnité représentative de frais de mandat (IRFM) était autorisé jusqu'en 2015.

Fin mai, après avoir balayé cette possibilité, le parquet de Brest ouvre finalement une enquête préliminaire. Dans son communiqué, le procureur explique que l'enquête cherchera à savoir si les faits sont « susceptibles ou non de constituer une infraction pénale en matière d'atteintes aux biens, de manquement au devoir de probité et aux règles spécifiques du code de la mutualité ». Pour le président de la République, Richard Ferrand, le fidèle lieutenant, est devenu un boulet. Pendant des mois, il a été l'un de ceux que l'on a le plus entendus prôner le « renouvellement » des pratiques politiques ! À Paris-Bercy le 17 avril 2017, pour le dernier grand meeting d'Emmanuel Macron avant le premier tour, c'est lui qui fustigeait sur scène le candidat Les Républicains François Fillon. « Il a définitivement perdu toute autorité morale ! » s'écriait-il alors. Le boomerang lui revient en pleine figure. Richard Ferrand se piège lui-même en répétant que rien de ce qu'on lui reproche n'est illégal, suivant la même ligne de défense que François Fillon. Dans un unanimisme rare, Les Républicains, le Parti socialiste et le Front national réclament sa « démission ». L'affaire pollue la campagne des législatives, qui bat son plein. « C'est gênant et dur à encaisser », admet Aziz-François Ndiaye, le responsable du parti présidentiel dans les Yvelines.

Après les législatives, Richard Ferrand, réélu député dans le Finistère, est exfiltré par Emmanuel Macron vers la présidence du groupe majoritaire à l'Assemblée nationale. Conception singulière de la séparation des pouvoirs. « Je veux que tu sois mon Pierre Joxe », lui a demandé Emmanuel Macron, en référence à celui qui avait dirigé le groupe socialiste à l'arrivée au pouvoir de François Mitterrand, en 1981. « Il sera plus puissant que le président de l'Assemblée nationale », commente Arnaud Leroy, ancien député socialiste et gardien du temple de la « gauche » macroniste. « Puissant » peut-être. Adoubé par le président, certes. Mais toujours sous le coup d'une enquête préliminaire.

L'affaire Ferrand n'est même pas digérée que s'ouvre un autre front : cette fois, c'est l'« allié » François Bayrou qui se retrouve mis en cause. François Bayrou, le ministre d'État et garde des Sceaux, dont le renfort a été si précieux pour Emmanuel Macron et qui vient de présenter sa loi de moralisation de la vie politique. À deux jours du premier tour des élections législatives, le parquet de Paris ouvre une enquête préliminaire pour « abus de confiance et recel » après qu'un ex-collaborateur du Modem a signalé à la justice la réalité de son emploi d'assistant parlementaire auprès de l'ancien eurodéputé Modem Jean-Luc Bennahmias. France Info révèle que les emplois fictifs seraient courants au sein du parti, dont François Bayrou est toujours président[1]. Sur la période 2009-2014, les années de vaches maigres du parti, une dizaine de salariés du siège étaient parallèlement collaborateurs des

1. Sur le site de France Info, 8 août 2017.

députés européens, dont la secrétaire particulière de François Bayrou. Le nom des deux ministres Marielle de Sarnez et Sylvie Goulard est lui aussi cité. François Bayrou jure qu'il n'a « jamais existé » d'emplois fictifs au Modem, mais le ministre de la Justice, tutelle institutionnelle des procureurs, se retrouve en situation flagrante de conflits d'intérêts, puisque la Justice enquête sur la formation politique dont il est resté le président… L'inconfort devient intenable lorsque la ministre des Armées, Sylvie Goulard, décide de démissionner à la veille du remaniement post-législatives. « Cette entreprise de redressement doit l'emporter sur toute considération personnelle », dit-elle dans un communiqué, qui ressemble à s'y méprendre au coup de pied de l'âne envers François Bayrou. Le président du Modem tergiverse puis annonce sa démission le 21 juin, trois jours après les législatives qui ont vu son parti réaliser une performance historique. « Une campagne s'est développée à base de dénonciations anonymes […]. Bien que mon nom n'ait jamais été cité dans cette enquête, j'étais de ces dénonciations la véritable cible. […] Cette situation exposait le président de la République et le gouvernement », explique-t-il la mort dans l'âme, entraînant avec lui le départ de la ministre de l'Europe et numéro deux du Modem Marielle de Sarnez. L'entourage d'Emmanuel Macron fait contre mauvaise fortune bon cœur. Après tout, depuis quelques semaines, l'« alliance » avec le Modem avait tourné au vinaigre. François Bayrou le capricieux s'était jugé lésé au moment des investitures aux législatives et l'avait trop bruyamment fait savoir. La République en marche se débarrasse d'un partenaire gourmand et gênant, d'autant moins nécessaire maintenant que les macronistes détiennent la majorité absolue. « C'est cadeau ! » se félicite même Arnaud Leroy, ex-député socialiste proche du chef de l'État. Pour autant, quelle mauvaise entrée en matière pour Emmanuel Macron ! Quatre ministres de plein exercice, dont deux à des postes régaliens, débranchés de leurs fonctions en moins d'un mois, cela fait beaucoup.

Le traditionnel remaniement post-législatives du 21 juin n'a donc rien du petit ajustement « technique » annoncé. C'est plutôt un ravalement de façade, comme une tentative de nouveau départ. De nouveaux profils arrivent que le grand public ne connaît pas, comme la garde des Sceaux Nicole Belloubet, venue du Conseil constitutionnel et marquée à gauche, ou qu'il a oubliés, comme la ministre des Armées Florence Parly, énarque et ancienne secrétaire d'État au Budget de Lionel Jospin. Cette équipe de vingt-neuf ministres n'a plus grand-chose de l'escouade « resserrée » promise. Mais, si elle s'étoffe, son arc politique ne s'élargit pas vraiment. Le gouvernement intègre seulement deux jeunes nouveaux « constructifs » venus de la droite, les secrétaires d'État Sébastien Lecornu et Jean-Baptiste Lemoyne. Il fait la part belle aux « marcheurs », comme le nouveau ministre de l'Agriculture Stéphane Travert, un ex-député du Parti socialiste, partisan du non en 2005 et frondeur sous François Hollande ; la secrétaire d'État Brune Poirson, qui a travaillé dans une filiale du groupe Veolia opérant en Inde, victorieuse dans la circonscription de Marion Maréchal Le Pen ; ou encore Julien Denormandie et Benjamin Griveaux, deux très proches d'Emmanuel Macron. Quant au Modem, il n'a plus qu'une ministre et une secrétaire d'État.

Le gouvernement n'en a pour autant pas fini avec les affaires. Le 7 juillet, le parquet de Paris ouvre une information judiciaire contre « X » « pour favoritisme et recel de favoritisme ». Cette fois, c'est la ministre du Travail Muriel Pénicaud qui est visée. L'enquête porte en effet sur les conditions d'organisation d'une soirée à la gloire des start-up françaises du numérique le 6 janvier 2016 à Las Vegas. Ce soir-là, l'invité d'honneur s'appelle Emmanuel Macron, alors ministre de l'Économie. Cette « French Tech night » a été montée par Business France, l'agence publique de promotion des entreprises françaises à l'étranger, dirigée par Muriel Pénicaud. Or, des informations parues dans *Le Journal du dimanche* et *Libération* attestent du climat très particulier dans lequel cette soirée a été organisée : dans la précipitation la plus complète et surtout sans appel d'offres, au mépris des règles des marchés publics.

Des emails internes saisis chez Business France prouvent en effet qu'avant la soirée, Muriel Pénicaud a eu connaissance des risques juridiques courus par son agence pour satisfaire à l'urgence. Elle assure pourtant n'avoir été « informée » par sa direction financière qu'à la fin février 2016, date à laquelle elle commande « un audit interne et un audit externe ». Remis en juillet 2016, le rapport « externe » commandé au cabinet Ernst and Young ne sera transmis au conseil d'administration qu'en décembre. Le ministre de l'Économie Michel Sapin commande alors une enquête à l'Inspection générale des finances (IGF), qui constate les irrégularités du marché : prestations effectuées sans bon de commande, ni devis validé, ni contrat signé, ni constatation du service fait. C'est le signalement de l'IGF au parquet qui active la justice. Parus dans la presse, les courriels de l'ancienne directrice de communication de Business France Fabienne Bothy-Chesneau racontent pourtant une histoire différente. « Muriel [Pénicaud], briefée par nos soins, ne fait rien. Donc elle gérera aussi quand la CdesC [la Cour des comptes] demandera des comptes à BF [Business France], ce ne sera pas faute d'avoir dit et redit », explique-t-elle à son adjointe le 11 décembre 2015. Muriel Pénicaud a même validé deux paiements effectués en décembre et janvier. Le 20 juin 2017, les policiers de l'Office central de lutte contre la corruption (OCLCIFF) ont perquisitionné les locaux de Havas et de Business France. Et les juges chargés de l'affaire vont devoir à court ou moyen terme procéder à l'audition de la ministre du Travail, alors qu'elle est au cœur de plusieurs chantiers sociaux très sensibles, de la réforme du travail à celle de l'assurance chômage. Ils devront d'ailleurs déterminer sous quel statut ils l'entendent, et s'ils la mettent ou pas en examen, ce qui signifierait son départ du gouvernement. « Je maintiens avec la plus grande fermeté que je n'ai rien à me reprocher », assure pourtant Muriel Pénicaud.

L'affaire remontera-t-elle même plus haut ? Pas impossible. En mars 2017, lorsqu'une enquête préliminaire visant « des faits éventuels de favoritisme, de complicité et de recel » est ouverte par le parquet de Paris, Emmanuel Macron se défausse vite sur Business France. « Je ne pense pas que ce soit mon ministère qui ait organisé un événement sans appel d'offres », dit-il alors. « Ce n'est pas une affaire Macron », s'empresse de déminer son communicant Sylvain Fort. Pourtant, la pression du ministre et de son équipe, alors en précampagne présidentielle, semble bien à l'origine du déraillement de Business France. Le rapport d'audit d'Ernst and Young l'indique noir sur blanc : « Nous comprenons que la définition exacte des besoins a pu être en partie déterminée par des personnes extérieures à Business France, en particulier le cabinet du ministre de l'Économie. » La pression est d'autant plus grande que le cabinet s'est réveillé un peu tard. Un mois pour redimensionner l'opération en grand show médiatique, c'est court. Alors que Havas réclame un « go budgétaire » à Business France, l'attachée de presse d'Emmanuel Macron, Barbara Frugier (elle exerce désormais la même fonction à l'Élysée), organise une réunion avec l'agence le 16 décembre. L'adjointe de Fabienne Bothy-Chesneau y participe. « Fabienne, le process est biaisé, explique-t-elle par email à sa supérieure. Nous servons uniquement d'intermédiaire. Laissons donc faire, mais je ne servirai pas de pompier cette fois. » Comme le relève *Libération*, le cabinet d'Emmanuel Macron est même intervenu dans le choix de l'hôtel. Le 3 décembre, le conseiller économique à l'ambassade de France à Washington, Yves-Laurent Mahé, fait savoir que le cabinet du ministre préfère The Linq, un hôtel récemment rénové, à un autre jugé trop « kitsch ». Le devis de 350 000 euros sera divisé en plusieurs tranches, peut-être pour contourner les règles des marchés publics. « Les différentes étapes de la commande publique ont été largement ignorées ou contournées », souligne l'IGF. Quant aux auditeurs d'Ernst and Young, ils estiment que, si Business France avait respecté la loi et mis en œuvre la procédure d'appel d'offres (obligatoire à partir de 207 000 euros), « il n'aurait pas été possible d'organiser la soirée dans le délai imparti ».

En réalité, Business France semble s'être retrouvé pris en tenaille entre le cabinet d'Emmanuel Macron et Havas. Pas étonnant : ce petit monde se connaît bien. Ismaël Emelien, alors conseiller spécial à Bercy, a travaillé à la direction de Havas aux côtés de Stéphane Fouks. De même que sa compagne, Hélène Ribault, qui fut chargée jusqu'en mars de la filiale de Havas organisant des événements de luxe pour les VIP. Tous deux assurent n'avoir pris aucune part aux préparatifs de Las Vegas. Par ailleurs, Havas et Business France travaillent très souvent ensemble. Mediapart révèle ainsi qu'une grande campagne de promotion des entreprises françaises pilotée par Business France et confiée à Havas, Créative France, est elle aussi suspectée de multiples dérapages ! Conclu en 2015, ce contrat de huit millions d'euros devait promouvoir « l'excellence » française à l'étranger. Des courriels révèlent que, pendant huit mois, les autorités de tutelle de Business France – Finances et Quai d'Orsay – se sont inquiétées par écrit de l'absence de justificatifs des prestations de Havas. Dès l'hiver 2015, elles s'alarment du manque d'information financière et de « reporting ». Une lettre est adressée en ce sens par les directeurs de cabinet des ministres à Muriel Pénicaud. À l'été 2015, la sélection des dix « égéries » françaises, personnalités et entreprises, choisies pour servir d'emblèmes à Créative France, conduit les ministères à interroger Muriel Pénicaud sur les « conflits d'intérêts » de l'agence avec les entreprises choisies : Airbus et Safran sont en effet des clients de Havas. Il y a aussi, pure coïncidence, un solide soutien d'Emmanuel Macron, Xavier Niel ; et le mathématicien Cédric Villani, récemment élu député avec La République en marche. Un coup d'œil sur le compte Twitter de Fabrice Conrad, le patron de Havas Paris chargé de la campagne Créative France, montre d'ailleurs son assiduité à tweeter les prestations de Muriel Pénicaud et d'Emmanuel Macron. « La question des marques commerciales associées » à Créative France est pourtant vite évacuée par Muriel Pénicaud. « Tous les exemples pris ne sont pas des clients de Havas », balaie-t-elle le 3 août 2015.

Pendant des mois, les différentes tutelles vont continuer à demander des comptes. Le ministère des Finances n'est pas satisfait. Au Quai d'Orsay, la directrice des entreprises Agnès Romatet-Espagne est elle aussi préoccupée. « À la fin de l'année [2015], sur les 3,5 millions dépensés, un tiers correspondrait à des rémunérations et plus du tiers à de l'achat d'espaces », écrit-elle le 13 janvier 2016, inquiète du montant faramineux des « honoraires » de conseil, « y compris dans des pays qui n'ont bénéficié à ce stade d'aucune publicité pour la campagne ». Au cabinet du secrétaire d'État au Commerce extérieur Matthias Fekl, on s'interroge sur la bonne utilisation des deniers publics. « La campagne "Créative France" ne peut se résumer à une série de "lancements" ponctuels et sans lendemain, écrit le 30 mars 2016 son directeur de cabinet Cyrille Pierre dans un message adressé à Muriel Pénicaud. Nous demandons par ailleurs à BF [Business France] de faire preuve d'une attention spécifique à l'emploi des fonds publics [...]. Cela implique que ce qui peut être fait sans coût additionnel directement par l'État et son opérateur ne doit pas être sous-traité, à partir du moment où les outils de communication (clips vidéo, visuels, etc.) par ailleurs déjà facturés par le prestataire existent déjà. » Muriel Pénicaud se fend alors d'un email courroucé. « Le ton et la mise en cause de mes équipes me choquent, écrit-elle. Le harcèlement continu sur ce sujet malgré tous les échanges, documents et précisions apportés à de multiples reprises depuis des mois à nos tutelles et au comité de promotion de l'attractivité est incompréhensible. » Pourtant, le « reporting » exigé n'est jamais arrivé. L'enquête préliminaire pourrait donc réserver bien d'autres surprises gênantes pour le nouveau pouvoir.

6.

Des cabinets sans diversité

Les consignes d'Emmanuel Macron ont été gravées dans le marbre du *Journal officiel* quelques jours seulement après son élection : « Le cabinet d'un ministre ne peut comprendre plus de dix membres. Le cabinet d'un ministre délégué ne peut comprendre plus de huit membres. Et le cabinet d'un secrétaire d'État ne peut comprendre plus de cinq membres. » Un décret pour cadrer et éviter qu'un membre du gouvernement trahisse les promesses faites par le président de la République de ministères resserrés, comme cela avait été le cas sous le quinquennat Hollande. Pour épauler les seize ministres, les trois ministres délégués et les dix secrétaires d'État, quelque 300 collaborateurs avaient rejoint les ors de la République mi-juillet 2017. Beaucoup appartiennent aux cabinets pléthoriques que se sont accordés l'Élysée et Matignon, lesquels comptent une petite cinquantaine de membres chacun, dont dix conseillers communs. Les profils des personnes nommées donnent déjà une image assez nette de ceux qui, dans l'ombre, feront le quinquennat d'Emmanuel Macron. En l'occurrence, le renouvellement se fait attendre.

Les cabinets du nouveau pouvoir ressemblent à s'y méprendre aux précédents. On retrouve un nombre toujours aussi important d'énarques et de membres de grands corps de l'administration (Conseil d'État, Cour des comptes, Inspection des finances). La moitié des vingt-six directeurs ou directrices de cabinet sont diplômés de l'Ena. En grande majorité, les autres sont passés sur les bancs de Sciences-Po, l'Essec ou Polytechnique. Même constat, un peu désespérant, sur la parité. Si le gouvernement compte autant d'hommes que de femmes, les cabinets restent largement masculins : les femmes ne représentent que 36 % des effectifs. Elles sont seulement six à diriger un cabinet (dont trois un secrétariat d'État), et bien plus nombreuses à occuper le poste de conseillère en communication. Comme à l'accoutumée, les cabinets sont en grande majorité composés d'élites de la République plutôt blanches de peau. Lorsqu'on l'aborde, ce sujet provoque invariablement le soupir de nos interlocuteurs. « C'est malheureusement culturel, explique le directeur de cabinet d'une ministre. Beaucoup de collaborateurs sont issus des grandes écoles. Or, il est clair que tout le monde n'a pas accès à ces formations. Les choses évoluent, on l'a vu à l'Assemblée nationale d'ailleurs, mais c'est encore loin d'être ça. » Les cabinets ministériels sont encore et avant tout une affaire de réseaux, lesquels se forgent d'abord sur les bancs des grandes écoles : nombre de membres de cabinet sont issus des mêmes promotions de l'ENA, Averroès, René-Cassin et Victor-Schœlcher. On retrouve également six anciens camarades d'Emmanuel Macron (promotion Sédar-Senghor). À Matignon, Édouard Philippe a choisi comme directeur de cabinet Benoît Ribadeau-Dumas, l'un de ses anciens camarades de la promotion Marc-Bloch.

Bien souvent issus des grands corps, les membres des cabinets ministériels ont pour beaucoup un profil « techno » à l'image du président de la République. Une nécessité, assurent nos interlocuteurs. « Heureusement que je suis là… glisse le directeur de cabinet d'un ministre novice. C'est quand même de l'administration tout ça, il y a des choses qui nous parlent à nous, les "technos", mais qui ne parlent pas aux élus de terrain. Nous avons des réflexes et un vocabulaire qu'ils n'ont pas. Ce serait difficile pour quelqu'un qui n'a pas la formation technique. » D'ailleurs, le choix de réduire les effectifs des cabinets ministériels a considérablement renforcé le poids de l'administration. « On est vraiment peu nombreux par rapport aux cabinets de l'Élysée et de Matignon, souffle un conseiller à Bercy. La pression est constante. Il y a toujours une réunion quelque part et comme on ne peut pas être partout, on envoie souvent des personnes des services à notre place. » « On délègue beaucoup aux services, on leur demande des produits plus fonctionnels, des notes plus stratégiques », confie un autre conseiller. Emmanuel Macron n'a jamais caché sa volonté de donner plus de poids politique à l'administration. Comme aux États-Unis, il compte d'ailleurs remplacer ou confirmer les titulaires de quelque 200 postes clés de l'administration afin, dit-il, de « mettre sous tension l'appareil d'État ». Le gouvernement entend s'assurer de la « loyauté » des hauts fonctionnaires. « Le ministre, c'est le patron de l'administration. Les cabinets ne doivent plus faire tampon », explique Christophe Castaner, le porte-parole du gouvernement. Politiser l'administration est aussi une façon pour Emmanuel Macron de garder la main sur ses ministres, désormais coincés entre le duo de l'exécutif et les directeurs de services. D'ailleurs, les membres du gouvernement sont étroitement surveillés. Pas une prise de parole ou un entretien qui n'ait été au préalable validé et amendé par Matignon, voire directement par l'Élysée. Pour l'heure, chacun s'accommode de ces règles. Mais des conseillers com reconnaissent que celles-ci freinent les velléités des ministres, notamment de ceux issus de la « société civile », qui n'osent guère prendre d'initiative. Pas étonnant que la plupart des membres du gouvernement restent inconnus de l'opinion publique. Pas une tête ne doit dépasser.

Pour mieux garder un œil sur ses ministres, le président de la République a veillé à placer plusieurs de ses fidèles dans les cabinets sensibles. Au ministère de la Santé, Agnès Buzyn a nommé comme directeur de cabinet Gilles de Margerie, ex-directeur adjoint du groupe de prévoyance Humanis (un partisan des mutuelles privées), qui avait fourni des notes pour En Marche. Sa cheffe de cabinet est Sophie Ferracci, qui occupait les mêmes fonctions à Bercy avec Emmanuel Macron puis pendant la campagne. Le mari de cette dernière, Marc Ferracci, ami d'Emmanuel Macron, dont il fut le témoin de mariage, est devenu le conseiller spécial de Muriel Pénicaud. Plusieurs membres du gouvernement issus de la « société civile » sont « épaulés » par des proches du président. C'est le cas de Nicolas Hulot, dont la cheffe de cabinet, Anne Rubinstein, a occupé ce poste à Bercy. La ministre de la Culture Françoise Nyssen et la secrétaire d'État

Marlène Schiappa ont recruté des macronistes comme Marc Schwartz ou Thomas Brisson.

Dans un premier temps, Emmanuel Macron avait également tenté d'imposer comme directeur de cabinet de Matignon un autre de ses proches, Nicolas Revel, l'actuel directeur de la Caisse nationale d'assurance maladie (Cnam), ancien conseiller social de François Hollande. Mais le Premier ministre a refusé et nommé son ancien camarade de promotion de l'Ena. « Nous avons reçu des centaines de CV, explique un conseiller d'Édouard Philippe. Des préfets, des journalistes. Les gens se tueraient pour être à Matignon. Du coup, nous avons pu recruter la crème de la crème. » Cette « crème », le Premier ministre est d'abord allé la piocher dans son cercle d'intimes, qui, pour beaucoup, ont travaillé, comme lui, au sein des équipes d'Alain Juppé : Charles Hufnagel (communication), Gilles Boyer (son meilleur ami, candidat Les Républicains malheureux aux législatives, nommé conseiller spécial), Xavier Chinaud (élus), Zélia Césarion (presse), Ève Zuckerman (numérique), Mohamed Hamrouni (chef de cabinet adjoint). Avec Emmanuel Macron, le Premier ministre partage une dizaine de conseillers... afin d'éviter que l'Élysée et Matignon ne se transforment en camps retranchés de la « macronie » et de la « juppéie ». Innovations sous la Ve République, ces conseillers communs doivent permettre de faciliter la coordination. Ils sont aussi un moyen sûr pour le président de conserver une présence directe dans le cabinet de son Premier ministre, ce qui n'était pas le cas sous le quinquennat Hollande.

À l'image de la synthèse « et de gauche et de droite » d'Emmanuel Macron, le gouvernement marie des anciens des cabinets des quinquennats précédents. À la direction du cabinet de Jean-Yves Le Drian et à celle du porte-parole du gouvernement, on retrouve Emmanuel Bonne, ancien conseiller de François Hollande à l'Élysée pour l'Afrique du Nord et le Moyen-Orient, et Olivier Gerstlé, son ex-conseiller adjoint prospective. Une dizaine de collaborateurs ayant travaillé auprès de Jean-Marc Ayrault, Manuel Valls et Bernard Cazeneuve à Matignon ont été recasés à l'Élysée, rue de Varenne, ou au ministère des Outre-Mer d'Annick Girardin. À la Culture, au Travail et à l'Agriculture, on retrouve cinq anciens collaborateurs de Myriam El Khomri. De même qu'à l'Élysée, où Pierre André-Imbert, l'ancien directeur de cabinet inspirateur de la loi travail contestée dans la rue, a été nommé conseiller social. La droite n'est pas en reste. À Bercy, le cabinet de Bruno Le Maire au ministère de l'Économie est dirigé par Emmanuel Moulin, ancien numéro deux de Christine Lagarde à Bercy, ex-conseiller économique de Sarkozy à l'Élysée et ami du secrétaire général de l'Élysée Alexis Kohler. Jérôme Fournel, ex-directeur des douanes et ancien conseiller budgétaire de Jean-Pierre Raffarin, puis de Dominique de Villepin à Matignon, travaille aux côtés de Gérald Darmanin. Au moins trois personnes ayant travaillé au sein du cabinet de Nicolas Sarkozy ont rejoint les équipes des ministres d'Emmanuel Macron. Au ministère du Travail, c'est Antoine Foucher, un ancien directeur général adjoint du Medef et ex-conseiller de Xavier Bertrand, qui pilote les réformes sociales comme directeur de cabinet de Muriel Pénicaud. Nicolas Castoldi, ex-conseiller de Valérie Pécresse, a retrouvé le ministère de l'Enseignement supérieur en qualité de directeur adjoint. Ancien directeur général de l'enseignement scolaire sous Nicolas Sarkozy, le ministre de l'Éducation nationale Jean-Michel Blanquer a pris comme directeur de cabinet Christophe Kerrero, un ancien du cabinet de l'UMP Luc Chatel. Son chef de cabinet, Christophe Pacohil, occupa les mêmes fonctions auprès de François Baroin au ministère de l'Économie.

Toutefois, le gros des troupes est issu de la droite des cabinets du gouvernement Raffarin, entre 2002 et 2005. Au moins quatre anciens collaborateurs de l'ex-Premier ministre ont fait leur retour rue de Varenne pour travailler aux côtés d'Édouard Philippe, à commencer par son « dircab » Benoît Ribadeau-Dumas et sa cheffe de cabinet Anne Clerc, qui occupait déjà cette fonction entre 2002 et 2005. Certaines nominations interrogent. Directeur de cabinet de Gérard Collomb au ministère de l'Intérieur, l'énarque et conseiller d'État Stéphane Fratacci a exercé les fonctions de directeur des libertés publiques et des affaires juridiques au ministère de l'Intérieur de 2001 à 2006, avant de devenir secrétaire général du ministère de l'Immigration et de l'Identité nationale du temps d'Éric Besson. Préfet du Doubs à compter de novembre 2012, il fut notamment chargé du dossier de Leonarda Dibrani, cette collégienne rom expulsée avec sa famille vers le Kosovo en octobre 2013.

Par ailleurs, nombre de membres de cabinets sont passés par le privé avant de retrouver les ors de la République – ce sont Areva, Dassault Systèmes, Danone, Mediterranean Shipping Company (propriétaire notamment de MSC Croisières), pour ne citer que ces entreprises. Ces lignes dans le CV posent encore et toujours la question d'éventuels conflits d'intérêts. La nomination d'Audrey Bourolleau au poste de conseillère à l'agriculture, à la pêche, aux forêts et au développement rural à l'Élysée a suscité la controverse. Lors de l'examen de la loi santé en 2015, celle qui était encore déléguée générale de Vin et Société, organisme chargé de défendre les intérêts de la filière viticole, avait largement pesé sur le détricotage de la loi Évin. À l'époque, même l'actuelle ministre de la Santé, Agnès Buzyn, alors présidente de l'Institut national du cancer, s'était inquiétée de la « victoire des lobbies ».

7.

L'austérité qui vient

Les commentateurs politiques ont souvent moqué l'usage par Emmanuel Macron de la locution « en même temps ». En matière économique, au moins, cela avait un sens. Emmanuel Macron souhaitait, disait-il, libérer *et* protéger. Réduire la dépense publique *et en même temps* relancer l'économie ; réformer le marché du travail *et* donner de la sécurité aux salariés et aux chômeurs ; mener une politique dérégulatrice *et* réduire le déficit budgétaire ; atteindre les 3 % du PIB de déficit public *et* baisser massivement les impôts ; respecter les traités européens *et* assurer une politique d'investissement public sur fond de relance européenne, afin de contrebalancer les effets récessifs de la logique comptable.

Cette vision permettait de ne pas proposer un projet purement néolibéral – à la différence du candidat François Fillon –, et apparaissait comme plus équilibré. Le projet d'Emmanuel Macron était un rêve d'économiste libéral traumatisé à la fois par la crise financière issue de la dérégulation, par l'échec de la politique européenne d'austérité *et en même temps* attaché aux réformes structurelles pour dynamiser l'économie.

Guère étonnant donc que des économistes néokeynésiens ou de centre gauche comme Olivier Blanchard, Charles Wyplosz, professeur d'économie à l'Institut de hautes études internationales et du développement, ou Jean Pisani-Ferry aient défendu le futur président, ce dernier rejoignant même son équipe de campagne. Cet espoir a été résumé à la perfection par Anatole Kaletsky, chef économiste de Gavekal Dragonomics, l'un des principaux fournisseurs d'analyses économiques aux grandes entreprises mondiales et auteur de *Capitalism 4.0*[1]. Ce dernier voyait dans les « Macronomics » une « synthèse des réformes du travail de droite et de conditions budgétaires et monétaires assouplies de gauche », ainsi qu'une politique capable de « remplacer le fondamentalisme de marché qui a échoué en 2007 », sans pour autant revenir au keynésianisme d'avant la révolution néolibérale[2]. Ce rêve d'équilibre s'est pourtant vite fracassé sur les premiers choix du gouvernement.

Sitôt élu, comme c'est la coutume, Emmanuel Macron s'est rendu à Berlin pour rencontrer Angela Merkel. Il s'est présenté comme animé d'un unique objectif : face à la « colère qui gronde », il s'agit de poser de nouvelles fondations à l'Europe. Dans la vision d'Emmanuel Macron, tenir les objectifs budgétaires fixés par l'Union européenne (à commencer par les fameux 3 % du PIB dès la fin 2017) est une nécessité

1. Anatole Kaletsky, *Capitalism 4.0. The birth of a New Economy in the Aftermath of Crisis*, New York, Bloomsbury, 2010.
2. Anatole Kaletsky, « A Macroneconomic Revolution ? », sur le site Project Syndicate, le 17 juillet 2017.

pour renouer le dialogue. À terme, Berlin pourrait enfin accepter la mise en place au sein de l'union monétaire de « transferts budgétaires » jusqu'ici très impopulaires de l'autre côté du Rhin. Angela Merkel a beau apprécier ce nouveau président, pour l'instant elle dit non. « Je serais prête à le faire mais, d'abord, nous devons travailler sur ce que nous voulons réformer », a-t-elle poliment répondu le 15 mai. En langage diplomatique, cela s'appelle une fin de non-recevoir. À ce stade, ce pari macronien reste très risqué.

En attendant, la France va tout faire pour s'atteler à rester sous les fameux 3 % de déficit public définis par les traités. C'est même l'objectif numéro un du gouvernement. Pour justifier ce choix, il a repris l'argument du « passif » et dramatisé à outrance fin juin un audit de la Cour des comptes faisant apparaître un « dérapage » de huit milliards d'euros sous la précédente majorité. « Inacceptable », a réagi Édouard Philippe. « Aucune découverte », a répondu l'ancien ministre Michel Sapin, qui affirme que le sujet était connu et tout à fait gérable. « Nous dansons sur un volcan qui gronde de plus en plus fort », dit le Premier ministre dans son discours de politique générale, le 4 juillet 2017, en lançant la bataille contre « l'addiction française à la dépense publique ». Sans doute était-ce assez périlleux, puisque c'était mettre en cause l'impéritie du précédent gouvernement, dont faisait encore partie, il y a moins d'un an, un certain Emmanuel Macron. En fin de compte, c'est ce premier cadrage politique qui est d'abord retenu : accréditer auprès de l'opinion l'idée que la gestion économique de l'équipe précédente a été irresponsable et que le nouveau gouvernement s'est trouvé confronté à la priorité absolue de réduire la dépense publique de sept à huit milliards d'euros dès 2017, et sans doute de quelque vingt milliards d'euros en 2018. Accédant à l'Élysée, le nouveau pouvoir a vite mesuré qu'il aurait du mal tout à la fois à tenir ses promesses de baisse des déficits – et donc de baisse des dépenses publiques – et de réduction des impôts. Voilà pourquoi, dans son discours de politique générale, Édouard Philippe a d'abord repoussé à 2018, sinon 2019, des promesses comme le démantèlement partiel de l'impôt de solidarité sur la fortune (ISF), la baisse de la fiscalité du capital à 30 % et la transformation du CICE en baisse de cotisations, ainsi que la suppression de la taxe d'habitation pour 80 % des ménages.

Pourtant, quelques jours plus tard, le gouvernement change radicalement de pied. Cette hiérarchisation des priorités a eu un effet qu'Emmanuel Macron a très mal anticipé : elle a déclenché un mouvement de protestation dans les milieux d'affaires, qui constituent ses premiers soutiens. L'économiste libéral Gaspard Koenig fulmine ainsi, dans *Libération*, contre Emmanuel Macron. « La ligne Philippe-Le Maire, dit-il, c'est cette droite pâteuse qui n'a jamais rien fait, qui bloque tout et n'ose rien ; le retour du chiraquisme allié aux technos de Bercy[1]. » Le magazine *Challenges* fait apparaître le très fort agacement des milieux d'affaires. : « Pour Emmanuel Macron, l'état de grâce est déjà terminé, écrit le journaliste Thierry Fabre. Même auprès d'un public conquis, les grands patrons et les économistes plutôt libéraux, réunis pour les 17es Rencontres économiques d'Aix-en-

1. Entretien avec Guillaume Gendron, *Libération*, le 6 juillet 2017.

Provence, du 7 au 9 juillet. En privé ou à la tribune, beaucoup ont exprimé leurs craintes, voire leur scepticisme sur la volonté réformatrice du chef de l'État. Les participants à ce "Davos provençal" n'ont pas digéré les annonces d'Édouard Philippe. [...] "La priorité, c'était de provoquer un choc fiscal pour stimuler la croissance. Il ne fallait pas différer ces réformes", déplore Philippe Aghion, professeur au Collège de France, l'un des inspirateurs du projet macroniste, notamment sur la fiscalité. Et les trente membres du Cercle des économistes, organisateur de ce forum huppé, ont glissé cette critique dans leur déclaration finale très diplomatique, demandant de "tenir dès à présent les engagements fiscaux du président Macron"[1]. » Résultat : Emmanuel Macron décide le dimanche 9 juillet en fin de journée de modifier radicalement le cadrage de la politique économique et sociale qu'il avait préalablement choisi, en ne repoussant plus à 2019 la réforme de l'ISF et l'allégement de la taxe d'habitation, mais en retenant leur mise en œuvre dès l'année prochaine.

Ici se trouve précisément le piège. Dans les mois prochains, l'actualité va offrir ce télescopage ravageur : au moment précis où le gouvernement lance la réforme du code du travail, qui risque d'accroître la flexibilité et la précarité, il offre aux plus grandes fortunes un cadeau formidable. In fine, ne demeurent plus que les éléments « de droite » du programme présidentiel : « flexibilisation » du marché du travail, consolidation budgétaire centrée sur l'obsession des 3 %, baisses d'impôts

1. « Patrons et économistes s'inquiètent des reculades de Macron », *Challenges*, le 10 juillet 2017.

massives. Trois composantes typiques de la politique néolibérale, selon le FMI lui-même[1]. Édouard Philippe, lui, assume. Le 10 juillet, au détour d'un entretien au *Financial Times* dans lequel il annonce de substantielles baisses d'impôts pour les plus aisés, on lui demande si sa politique est plutôt « à droite », il répond : « Et à quoi vous attendiez-vous ? » La réponse est cruelle pour ceux qui ont vu dans le nouveau président français l'espoir d'un renouvellement profond du capitalisme.

Parallèlement, le ministre de l'Action et des Comptes publics Gérald Darmanin confirme avoir identifié trois sources d'économies : la politique du logement, la formation professionnelle et la politique sociale. Emmanuel Macron risque d'enfiler très vite le costume de « président des riches ». Certes, les autres éléments du discours présidentiel n'ont pas disparu, mais étrangement ils ne sont jamais financés, ou soumis à des exigences de baisse de dépenses. Ainsi ignore-t-on toujours où l'État trouvera les 10 milliards d'euros par an que nécessitera le fameux plan d'investissement annoncé pendant la campagne.

Le choix de l'austérité risque donc de déchirer très vite le voile de la communication de l'exécutif : les promesses et les bonnes intentions ont créé des attentes qui semblent ne pas devoir être comblées. Le 11 juillet, Gérald Darmanin annonce 4,5 milliards d'euros d'économies. L'essentiel du poids de cette consolidation budgétaire sera porté par les fonctionnaires, dont le point d'indice est, de nouveau, gelé, ce qui permettra

1. « Quand le FMI critique le néolibéralisme », *La Tribune*, le 27 mai 2017.

à l'État de ne pas dépenser 2 milliards d'euros. Six jours plus tard, devant la Conférence des territoires, Emmanuel Macron multiplie les promesses aux élus locaux, mais celles-ci sont d'autant moins concrètes que les collectivités locales devront économiser 13 milliards d'euros sur le quinquennat. Le reste de l'effort budgétaire portera sur des annulations de crédits.

Durant l'été, les renoncements se succèdent. L'aide au développement est réduite de 141 millions d'euros, alors qu'Emmanuel Macron avait indiqué qu'elle était un élément de paix et d'endiguement des migrations. C'est « la plus importante coupe budgétaire de l'aide publique au développement jamais connue », souligne Michael Siegel, de l'ONG Oxfam. Le secteur des finances publiques apportera 268 millions d'économies. Gérald Darmanin indique avoir suspendu un « programme de numérisation », un choix étrange, dans la mesure où la « numérisation » a été présentée par Édouard Philippe comme un enjeu de l'amélioration de l'efficacité de l'action publique. L'effort principal sera porté par les fonctions « régaliennes » de l'État : l'armée (avec 850 millions), mais aussi la sécurité (526 millions) et les programmes immobiliers de la justice (160 millions). De quoi inquiéter Laurence Blisson, secrétaire générale du Syndicat de la magistrature. « Ces dépenses, ce n'est pas pour embellir les tribunaux, mais pour empêcher qu'il pleuve dans les salles d'audience ! » L'Union syndicale des magistrats, majoritaire, juge cette décision « scandaleuse ». Concernant la sécurité, il s'agira d'économiser sur les « dépenses de fonctionnement », sans toucher aux effectifs de gendarmes et de policiers, affirme Gérald Darmanin. Cette baisse du budget de la sécurité marque la fin d'une doctrine prononcée après les attentats du 13 novembre 2015, selon laquelle « le pacte de sécurité l'emporte sur le pacte de stabilité ».

Dans l'enseignement supérieur et la recherche, les coupes sont de 331 millions d'euros sur un budget total de 27 milliards d'euros. « Ça n'aura pas tenu trois mois », soupire Hervé Christofol, secrétaire général du Syndicat des enseignants du supérieur (Snesup) : candidat, Emmanuel Macron avait en effet promis de sanctuariser le budget de l'enseignement supérieur et de la recherche. Cédric Villani, mathématicien décoré par la médaille Fields, dénonçait en 2016 le « suicide scientifique et industriel » de la France, alors qu'un décret similaire supprimait 256 millions d'euros de crédits. En 2017, désormais élu député, il défend les mesures d'austérité du gouvernement qu'il soutient. Ces coupes viennent aggraver une situation déjà critique. Jusque-là, la sélection était interdite : l'accès à l'université est un droit pour tous les bacheliers, quel que soit leur cursus. Exsangues, les universités instituent désormais des « capacités d'accueil » au-delà desquelles elles refusent les inscriptions. Les universités utilisent donc le tirage au sort. L'arbitraire par essence, qui laisse à l'été 2017 des dizaines de milliers de bacheliers sur le carreau. « En se désengageant, l'État organise une université de l'excellence et une autre du tout-venant », confirme Hervé Christofol.

Un décret publié le 21 juillet au *Journal officiel* confirme par ailleurs la baisse de 7,5 millions d'euros du programme d'égalité entre femmes et hommes, soit 25 % de son budget total. Lorsque le chiffre avait circulé quelques jours plus tôt, la secrétaire d'État Marlène Schiappa avait parlé de

« fake news ». Elle a dû se rendre à l'évidence : comme l'a révélé Mediapart, l'administration a demandé en juillet aux délégués départementaux aux droits des femmes et à l'égalité femmes-hommes de suspendre « dans l'immédiat les opérations d'engagement et de paiement des crédits » et de faire remonter au niveau national les crédits dédiés au parcours d'aide à la sortie de la prostitution. Quelques jours plus tard, le gouvernement annonce même une baisse de 5 euros par mois de l'Aide personnalisée au logement (APL), qui profite chaque année à 2,6 millions de foyers parmi les plus modestes et, notamment, à près de 800 000 étudiants. Cela fait des lustres que la direction du budget ressort régulièrement ce projet des cartons.

Autre renoncement significatif, la taxe européenne sur les transactions financières (TTF). Là encore, la communication gouvernementale avait pu faire croire à une certaine détermination. Le 6 juin, alors que Donald Trump a fait sortir les États-Unis de l'accord de Paris, le chef de l'État a reçu des associations, des entreprises et des scientifiques pour évoquer la lutte contre le changement climatique. Selon l'ONG Oxfam, il a alors assuré qu'il « parviendrai[t] à un accord sur la TTF européenne durant l'été ». Cette « TTF » européenne, portée par dix pays, dont la France, l'Allemagne et l'Italie, visait à taxer les flux financiers à hauteur de 0,01 % à 0,1 %. Elle devait rapporter 35 milliards d'euros qui auraient financé en partie les investissements nécessaires à la transition énergétique et le Fonds vert prévu par l'accord de Paris pour aider les pays en développement à entamer cette même transition. Deux semaines plus tard pourtant, Emmanuel Macron a indiqué à ses homologues européens qu'il n'était pas question d'évoquer à nouveau ce projet avant la fin des négociations sur le Brexit. La priorité a changé : il s'agit désormais d'attirer à Paris les activités de marché, d'ingénierie financière ou les banques d'affaires qui vont quitter Londres. Début juillet à New York, Bruno Le Maire, reprenant les termes du fameux discours du Bourget de François Hollande, martèle devant l'Economic Club of New York que « l'ennemi, ce n'est pas la finance ». À chacun des dirigeants financiers des six grandes institutions de Wall Street rencontrés, il remet une lettre d'Emmanuel Macron et s'efforce de montrer que « la France est de retour ». Le 12 juillet, Édouard Philippe annonce plusieurs mesures pour attirer les grands établissements financiers : la tranche supérieure de la « taxe sur les salaires », pesant notamment sur les gros salaires du secteur financier, va être supprimée et les « bonus » parfois considérables du secteur financier seront exclus du calcul des indemnités des traders, ce qui devrait profiter à leurs employeurs.

Inévitablement, la fin de l'équilibre économique de la politique du gouvernement conduit à des déceptions. L'économiste Charles Wyplosz s'interroge déjà sur le fait de savoir si « l'éclat de Macron » ne « s'estomp[e] » pas. « Les premiers signaux venus du gouvernement sont inquiétants », note l'ancien soutien d'Emmanuel Macron. Il estime que « satisfaire les comptables parcimonieux de Bruxelles ou de Berlin risque de fragiliser la reprise économique naissante en France [...], au moment même où des réformes importantes, et parfois impopulaires, doivent être mises en œuvre[1]. »

1. Charles Wyplosz, « L'éclat de Macron s'estompe-t-il ? », sur le site Project Syndicate, le 13 juillet 2017.

De fait, le choix de faire les réformes tout en menant la consolidation budgétaire est très risqué. Mêler l'austérité à des réformes hautement sensibles du code du travail et de l'assurance chômage est une bombe politique ; du point de vue économique, cette stratégie d'« austérité expansive », outre qu'elle est difficile à honorer, est souvent perdante. C'est elle qui a mené la zone euro dans la récession à partir de 2010, alors que les conditions de la reprise étaient présentes. Le risque récessif est important, notamment parce qu'elle exerce une forte pression déflationniste en baissant la demande de l'État et en pesant sur les salaires. Ces deux politiques pèsent sur les inégalités et la productivité. Même s'il avait prétendu le contraire pendant sa campagne, Emmanuel Macron semble s'être rallié à ce que l'économiste états-unien John Quiggin a appelé, dans un ouvrage homonyme daté de 2010, « l'économie zombie », ces vieilles recettes inopérantes auxquelles nos dirigeants restent désespérément accrochés.

8.

La démocratie « en marche » arrière

« Vivifier la démocratie. » Face à François Fillon et Marine Le Pen, Emmanuel Macron s'est présenté comme le candidat du « renouveau démocratique ». Encore une fois, il y a un gouffre entre les paroles et les actes. Conserverait-il l'état d'urgence ? Pendant la campagne, il avait cultivé l'ambiguïté. « Sa prolongation sans fin [...] pose des questions, et des questions légitimes », disait-il. Après son élection, c'est pourtant la ligne sécuritaire qui prévaut. L'une des premières mesures annoncées est la prorogation de l'état d'urgence jusqu'au 1er novembre. Cet automne, le Parlement va adopter un nouveau projet de loi antiterroriste.

Sur les estrades, Emmanuel Macron avait pourtant jugé l'« arsenal législatif » suffisant. Il a changé d'avis. Le chef de l'État a promis qu'il s'agissait là de « la première et la dernière loi en matière antiterroriste » de son mandat. Doit-on vraiment le croire ? La nouvelle loi, déjà examinée cet été par les sénateurs, va en tout cas inscrire dans le code de la sécurité intérieure (CSI) quatre mesures phares tirées de l'état d'urgence. Elle permettra aux préfets d'ordonner, dans le cadre de la lutte contre le terrorisme, des perquisitions administratives, d'obliger des personnes à résider dans une zone déterminée, d'instaurer des « périmètres de sécurité » lors d'événements ou encore d'ordonner la fermeture de lieux de culte. Autrement dit : l'exception entre dans la loi ordinaire et devient la règle.

L'ensemble de ces mesures pourront être décidées sur de simples soupçons du renseignement et sans le contrôle d'un juge judiciaire, hormis dans le cas des perquisitions. Le défenseur des droits Jacques Toubon a qualifié ce projet de « pilule empoisonnée ». La Commission nationale consultative des droits de l'homme (CNCDH) a adopté un avis extrêmement sévère dénonçant « des pouvoirs de police exorbitants », « des garanties insuffisantes », un « dispositif inefficace ». « Avec ce texte, oui, la France sera en état d'urgence permanent, s'inquiète Christine Lazerges, la présidente de la CNCDH. Il constitue une incontestable régression de l'État de droit car il pérennise une certaine confusion entre les procédures administratives d'exception et la procédure pénale de droit commun. »

Une mesure inquiète particulièrement : la possibilité pour les préfets de décréter des « périmètres de sécurité » qui pourrait réduire la liberté de manifester. « Si ce projet de loi est adopté, et que l'extrême droite arrive un jour au pouvoir, la France serait dans une situation extrêmement difficile en matière de libertés. Un tel pouvoir n'aurait absolument rien à ajouter », s'alarme Christine Lazerges, qui pointe par ailleurs l'inefficacité de telles mesures contre le terrorisme, car « tous les attentats qui ont pu être déjoués l'ont été grâce au renseignement, pas grâce à l'état d'urgence ». Exactement ce qu'expliquait en octobre 2016 un certain

Emmanuel Macron. « La lutte contre le terrorisme est d'abord et avant tout une bataille du renseignement », disait-il alors.

Pour se démarquer de la gauche au pouvoir comme d'une grande partie de la droite, le candidat Emmanuel Macron s'était également singularisé sur la question des migrants. Contre la droite, le Front national, mais aussi Manuel Valls, il avait salué la façon dont l'Allemagne avait « sauvé l'honneur de l'Europe » en accueillant des centaines de milliers de réfugiés. Cherchant à élargir son électorat à droite, le candidat avait ensuite insisté sur la réduction des délais d'examen des demandes d'asile dans le but de faciliter l'expulsion rapide des personnes déboutées. Une fois Emmanuel Macron au pouvoir, ce discours du début de la campagne paraît bien loin. Le candidat Macron avait promis d'en finir avec le règlement de Dublin, inéquitable puisqu'il rend responsable de la demande d'asile le premier pays par lequel est entré le migrant (en pratique, l'Italie et la Grèce). Son gouvernement projette désormais de le mettre en œuvre. Quant à son ministre de l'Intérieur Gérard Collomb, il a prôné dès son entrée en fonction une réponse répressive. Aux entraves des forces de l'ordre à la distribution d'eau et de repas à Calais, il réplique par l'envoi de policiers supplémentaires. L'ancien sénateur socialiste, qui avait déclaré à propos des populations roms, dans le sillage de Manuel Valls, qu'elles n'avaient « pas vocation à s'intégrer dans le pays », met l'accent sur la nécessité de « réprimer les atteintes à l'ordre public et [de] lutter contre les filières de passeurs », afin que « Calais et le Dunkerquois ne demeurent pas des lieux de fixation et que les "jungles" ne s'y reconstituent pas ». « Le tout-répressif n'est pas la solution ! Ne retombons pas toujours dans les mêmes travers ! » tempête Damien Carême, le maire Europe-Écologie–Les Verts de Grande-Synthe, qui fustige le harcèlement policier dont font l'objet les quelque six cents migrants revenus à Calais. Au Secours catholique, Laurent Giovannoni, responsable des droits des étrangers, déplore un « déni de réalité » : « On ne s'attendait pas à des miracles, mais pas non plus à cette répression absurde. » Pour faire face à l'arrivée ininterrompue de migrants en Europe (plus de 100 000 par voie de mer durant les six premiers mois 2017, selon l'Organisation internationale pour les migrations), le gouvernement a présenté mi-juillet un plan visant à garantir le droit d'asile et mieux maîtriser les flux migratoires. Mais aucune mesure d'urgence n'a été annoncée. La situation sur la route migratoire reste pourtant catastrophique : la France est l'un des seuls pays de l'Union européenne où des centaines de migrants dorment à la rue, en raison de l'insuffisance du nombre de places dans les centres d'hébergement. Pourquoi ne pas créer des camps humanitaires, sur le modèle de ceux de Paris ou de Grande-Synthe ? « Pas question, tranche Jacques Mézard, le ministre de la Cohésion des territoires. On ne va pas reconstituer des camps qui ne génèrent que des problèmes. » Comme ses prédécesseurs, ce gouvernement propose de réduire les délais d'examen de la demande d'asile, pour les faire passer de quatorze à six mois, et s'engage à appliquer une « politique d'éloignement crédible » et « dynamique » en augmentant les expulsions. Cet ensemble de mesures paraît, au bout du compte, peu en phase avec les réalités du terrain. Le gouvernement en est à espérer que la « stabilisation » de la situation en Libye et en Syrie améliorera un jour la situation. En attendant, Emmanuel Macron disserte toujours sur la nécessité d'« accueillir le mieux possible les réfugiés ». Le 27 juillet, il explique « ne plus vouloir de migrants dans les rues ou dans les bois d'ici à 2018 ». Chiche...

Grande promesse démocratique de la campagne, la loi de moralisation politique, rebaptisée « projet de loi pour la confiance dans la vie politique » pour ne heurter personne, sera quant à elle bien votée à l'automne. Mais, au vu des réformes adoptées par le Conseil des ministres le mercredi 14 juin, ce ne sera pas la « révolution » annoncée. S'ils contiennent d'incontestables avancées, les deux projets de loi de moralisation de l'action publique (un simple et un organique) présentés par François Bayrou, désormais défendus par Nicole Belloubet, laissent apparaître des renoncements et des angles morts. Certaines promesses du candidat sont bien tenues, telle l'interdiction faite aux parlementaires de recruter un membre de leur famille (jusqu'aux petits-enfants, nièces et parents des conjoints), englobant aussi les responsables d'exécutifs locaux et les ministres. Un délit est même créé, passible de trois ans de prison et de 45 000 euros d'amende. Au passage, on note que l'exécutif a pensé aux indemnités de licenciement destinées aux épouses (ou autres) actuellement salariées. Si la prohibition des activités de « conseil » pour les parlementaires a été jugée contraire à la Constitution, la règle sera durcie : dorénavant, pour exercer à la façon d'un François Fillon, il faudra que sénateurs et députés aient créé leur petite entreprise au moins « douze mois » avant leur élection et qu'ils évitent tout contrat avec des sociétés dépendant de marchés publics.

D'autres mesures, qui figuraient pourtant dans l'ossature de la réforme esquissée en conseil des ministres le 24 mai dernier, ont depuis disparu dans le plus grand secret. D'après un préprojet consulté par Mediapart, il était prévu que les rémunérations annexes des parlementaires soient plafonnées « à 30 % » du montant de leurs indemnités. Cette idée, poussée par l'ONG Transparency International, figurait dès 2011 parmi les recommandations d'un groupe de travail sénatorial sur la prévention des conflits d'intérêts. Mais entre fin mai et début juin, quelque part entre la place Vendôme, Matignon et l'Élysée, elle s'est heurtée à des obstacles juridiques ou politiques. Faudrait-il épargner les députés La République en marche qui veulent conserver leur entreprise ? « Pas de commentaire », balaye-t-on au ministère de la Justice. Fin mai, il était aussi jugé nécessaire d'interdire « les prêts consentis par des personnes physiques à des partis », histoire d'en finir avec les systèmes douteux de prêts mis en place par le Front national ou l'UMP. Là encore, l'idée a sauté. Le Conseil d'État a aussi rejeté la suggestion de confier aux magistrats de la Cour des comptes la certification des comptes des gros partis (largement financés par des fonds publics). Motif : la « liberté d'entreprendre » serait contrariée, en l'occurrence celle des commissaires aux comptes qui occupent aujourd'hui le marché. Réclamée de toutes parts, cette mesure de sécurisation destinée à prévenir de nouveaux « Bygmalion » passe donc à la trappe.

À l'inverse, malgré les réticences du Conseil d'État, le gouvernement persiste et signe avec sa « Banque de la démocratie », une idée de François Bayrou pour voler au secours des partis abandonnés par les banques, voire boycottés (du Front national au Modem). Mais la mise en place reste à ce stade très floue, comme de nombreuses mesures de cette loi. Au nom de la séparation des pouvoirs (exécutif et législatif), le gouvernement va en effet confier moult « détails » de sa réforme aux bureaux des assemblées, instances ultrapolitiques expertes dans l'art d'accoucher de compromis minimalistes. En matière de conflits d'intérêts par exemple, chaque chambre rédigera ses propres « règles ». Les bureaux modèleront le « registre de déport » où s'inscriront les élus ayant « estimé devoir ne pas participer aux travaux ». Formulé ainsi, ce registre risque de se limiter à un annuaire des parlementaires vertueux. Avec la fin de l'IRFM (indemnité pour frais de mandat versée sans contrôle), il reviendra aux bureaux de définir le nouveau système de remboursement « sur présentation de justificatifs ». Avec quel plafond ? Qui tamponnera les factures ? Rappelons qu'en 2009, la presse britannique a dévoilé des liasses de notes de frais bidonnées par les députés, de façon quasi industrielle, que les fonctionnaires des Communes n'osaient pas rembarrer. Depuis, chaque facture est vérifiée par une autorité indépendante (dotée de 70 agents) et publiée sur Internet. Enfin, la future loi fait l'impasse sur nombre de mesures poussées par les ONG, comme la suppression du « verrou de Bercy » empêchant les poursuites pénales pour fraude fiscale quand l'administration refuse de déposer plainte. L'encadrement du lobbying ne fait pas l'objet d'une seule ligne. Pas plus que le pantouflage des hauts fonctionnaires et des politiques dans le privé.

9.

Code du travail : le moment de vérité

Sur les questions sociales aussi, Emmanuel Macron a manié le flou. Bien sûr, il a annoncé de longue date une grande réforme du « modèle social ». Dès son entrée en fonction, le gouvernement a très vite fixé son calendrier. Discutée depuis mai, la réforme du travail, qui sera connue dans ses détails à l'automne 2017, en est la première pierre. Un deuxième temps doit théoriquement s'ouvrir, consacré à une refonte en profondeur des règles de l'assurance chômage et de la formation professionnelle, « avec l'examen au Parlement d'un projet de loi dédié au printemps 2018 ». Le bouleversement annoncé du système de retraites devrait être examiné ensuite. Éparpillées, ces propositions ressemblent, au premier abord, à de petites gouttes faites pour « débloquer » une société décrite comme incapable de souplesse. Regroupées, elles forment un ensemble cohérent, où le dialogue social national et par branches risque de devenir mineur.

Sur nombre de ces dossiers, Emmanuel Macron abat pourtant ses cartes sans se presser, soucieux de ménager ce corps social qu'il sait globalement méfiant ou hostile. Quelles seront les nouvelles règles d'indemnisation des chômeurs, alors qu'il affiche une volonté d'économies mais qu'un salarié démissionnaire pourrait être indemnisé ? Le système sera-t-il étatisé ? Oui et non, répondent ses conseillers. Comment compte-t-il financer une protection sociale élargie aux indépendants ? Quasi-mystère. Sur la très sensible réforme du code du travail, le gouvernement a été depuis le mois de mai d'une prudence de Sioux. Une chose est sûre : il veut aller loin. Sous couvert de « libérer les énergies » et d'apporter « un gain de souplesse », sa réforme, lancée aux premières heures du quinquennat, est en effet explosive. La volonté est qu'une part du code du travail soit à l'avenir en partie négocié dans les entreprises ou les branches et non plus au niveau national. Il s'agit d'une rupture totale avec le système existant, une généralisation de l'inversion de la hiérarchie des normes juridiques déjà inaugurée par la loi El Khomri, imposée au 49-3 en 2016 par Manuel Valls. Cette réforme ne sera pas débattue dans le détail au Parlement. Avant le premier tour de la présidentielle, Emmanuel Macron a annoncé sa volonté de faire passer cette refonte du code du travail par ordonnances. Après les débats sur la loi El Khomri, le même disait pourtant : « Je ne crois pas à la réforme par ordonnances. » À la fin de la campagne, il a jugé utile de dire le contraire pour améliorer son image à droite en adoptant une posture d'autorité.

Une fois l'élection passée, tout s'est enclenché très vite. Dix jours après son investiture, Emmanuel Macron rencontre à l'Élysée les leaders des organisations syndicales et patronales. Un geste fort. Très vite, c'est pourtant le flou et l'opacité qui s'installent. Pendant des semaines, une « concertation » a bien lieu. De mai à juillet, syndicats et organisations patronales rencontrent chacun six fois le gouvernement. Mais les équipes du ministère du Travail réclament une « totale confidentialité » sur les échanges. Surtout, ils se gardent bien de faire connaître avec précision le contenu final des ordonnances attendu pour la rentrée 2017. Une stratégie réfléchie : après avoir pris le pouvoir dans les urnes, il s'agit de naviguer par petit vent, en évitant la tempête syndicale, afin de laisser les jours et les semaines s'égrener, sans se découvrir. Un travail d'alchimiste. « Cela ressemble aux méthodes appliquées à l'entreprise, où l'on doit se parler sous le sceau de la confidentialité », note un participant. Côté patronal, on se montre peu disert pour ne pas perturber un processus jugé favorable. Avec cette méthode qui évite le Parlement (sinon pour les lois d'habilitation, votées sans encombre cet été à l'Assemblée nationale et au Sénat), la marge de manœuvre finale du gouvernement est très grande : c'est lui qui décidera par décret de la réforme finale.

Au départ bien intentionnés, les syndicats s'aperçoivent assez vite, grâce à des fuites dans la presse, que les textes préparés en coulisses sont plus musclés qu'on ne le leur laisse entendre. Entre le 30 mai et le 7 juin, Mediapart, *Le Parisien* et *Libération* publient tour à tour des révélations sur le calendrier et les axes de travail qui illustrent à quel point le gouvernement souhaite modifier en profondeur les règles existantes. Les documents font en effet apparaître un très large champ possible pour les ordonnances : en plus de sujets déjà contestés comme l'extension du référendum d'entreprise, ou le plafonnement des indemnités légales accordées par les tribunaux de prud'hommes (une marotte du patronat et d'Emmanuel Macron), le gouvernement pourrait s'attaquer au contrat de travail, aux motifs du CDD, aux clauses de licenciement, et autoriser des référendums d'entreprise à l'initiative exclusive de l'employeur. Autant de sujets qui ne devaient pas figurer dans la concertation. Piqués au vif, les syndicats montent au créneau et réclament des explications. L'opération déminage est lancée.

Au ministère, on indique que le contrat de travail ne sera pas touché, le CDD non plus. Les concertations reprennent. « Chacun se teste mutuellement », explique Didier Porte (FO). Drôle de guerre où aucun document écrit n'est distribué. La CGT s'inquiète que des pans entiers du contrat de travail, comme les motifs de licenciement, puissent être renvoyés à la négociation de branche. « Ce serait la fin du contrat de travail », s'inquiète-t-elle. Le magazine *Alternatives économiques* liste d'autres points explosifs susceptibles d'être au cœur des ordonnances : la réduction du périmètre d'appréciation des difficultés économiques au seul territoire français, un point très avantageux pour les multinationales ; la définition des motifs économiques de licenciement par accord d'entreprise ; l'augmentation du seuil de déclenchement d'un plan social de dix à trente salariés.

Le 28 juin, le projet de loi d'« habilitation à prendre par ordonnances les mesures pour le renforcement du dialogue social » est adopté en Conseil des ministres. Mais la ministre ne compte toujours pas dévoiler le contenu précis des ordonnances avant le mois d'août. Le texte en dit déjà pourtant beaucoup sur la réforme envisagée, bien plus que ce que les syndicats avaient appris jusqu'ici. Les indemnités accordées par les prud'hommes en cas de licenciement abusif seront étroitement encadrées, avec l'instauration « des planchers et des plafonds obligatoires ». Le gouvernement évoque un maximum possible d'un mois de salaire accordé par année d'ancienneté. Inacceptable pour les syndicats, et pourtant le juge devra s'y conformer, sauf dans certains cas, notamment pour un licenciement « résultant d'une discrimination ou de faits de harcèlement ». Autre point incontournable pour le gouvernement, la fusion en une instance unique des délégués du personnel, comité d'entreprise, comité d'hygiène, de sécurité et des conditions de travail. Un serpent de mer : la mesure, réclamée depuis des années par le Medef, est déjà en partie mise en œuvre depuis la loi Rebsamen d'août 2015. Le référendum patronal, contre lequel les syndicats restent vent debout, est là lui aussi. Le texte contient par ailleurs des surprises de taille. Le gouvernement sort de son chapeau le « contrat de chantier », un CDI signé pour la durée d'un projet défini, qui ne donne pas droit à une indemnité de précarité. « Une vieille lune du patronat », juge François Hommeril, le dirigeant de la CFE-CGC. Le ministère du Travail ne cache pas non plus sa volonté de voler au secours des commerces qui veulent faire travailler leurs salariés après 21 heures, sans pour autant entrer dans le régime du travail de nuit, plus protecteur et mieux rémunéré.

Autre demande claire du Medef : le texte entend bel et bien modifier le périmètre qui est retenu pour apprécier les difficultés d'un groupe international qui licencie dans l'une de ses filiales en France. Aujourd'hui, la santé des sites dans le reste du monde est prise en compte. Les ordonnances à venir pourraient modifier la règle. Là encore, tous les syndicats de salariés sont contre. Tout simplement parce que cela risque de ne pas inciter des multinationales qui cherchent à optimiser leurs bénéfices et à d'abord rémunérer leurs actionnaires à investir dans une usine située en France. Dans une France largement désindustrialisée, disent-ils, souffrant d'une baisse de sa capacité de production, ce choix ne ferait qu'exacerber la compétition entre les travailleurs des groupes internationaux. Il ferait peser une forte pression sur le coût du travail : soumis à cette concurrence intragroupe, les salariés devraient alors accepter des concessions en matière de salaires, de conditions et de temps de travail que les autres dispositions de la réforme du code du travail permettent justement.

De cette drôle de concertation, les grands syndicats sortent déboussolés. Et inquiets. « La ministre parle de changement de paradigme, nous pensons que le projet gouvernemental va créer un bouleversement, une véritable destruction du droit du travail », s'alarme le négociateur CGT Fabrice Angeï à la fin des concertations, le 21 juillet. La CFE-CGC, le syndicat des cadres, n'est pas plus rassurée et craint un « projet de régression sociale pour les salariés ». Au vu de ses prises de position sur la réforme du droit du travail durant les dix-huit derniers mois, la réaction de la CFDT est bien plus inhabituelle. Quand on l'interroge sur son ressenti à l'issue des concertations auxquelles elle a participé, la numéro 2 du syndicat Véronique Descacq se dit « angoissée et pas confiante ». Malgré une concession symbolique accordée tardivement par Muriel Pénicaud sur une (faible) augmentation à venir des indemnités légales de licenciement, « on voit bien qu'il y a une volonté de laisser les entreprises négocier directement certains éléments de rémunération, aujourd'hui réservés aux branches : primes de vacances ou treizième mois par exemple », assure Gilles Lecuelle (CFE-CGC). « Cela fait courir un risque de *dumping* social au sein d'un même secteur. La volonté du gouvernement est simple : faire baisser les salaires. » Côté CFDT, on durcit le ton. « Le gouvernement doit choisir : soit une vision à l'allemande où l'on fait confiance au dialogue social, soit une vision à l'anglo-saxonne où tout est à la main de l'employeur », déclare Véronique Descacq. La CGT, elle, donne déjà rendez-vous dans la rue. L'heure de la confrontation au réel a sonné. Pour l'hypnotiseur Emmanuel Macron, l'état de grâce est bientôt terminé.

Table

Du même auteur

Lénaïg Bredoux et Mathieu Magnaudeix, *Tunis connection. Enquête sur les réseaux franco-tunisiens sous Ben Ali*, Seuil, 2012.